MEURTRE
À QUATRE MAINS

J. B. LIVINGSTONE

MEURTRE À QUATRE MAINS

Collection « Dossiers de Scotland Yard »
ÉDITIONS DU ROCHER
Jean-Paul BERTRAND
Éditeur

CHAPITRE PREMIER

En ce début d'un mois de décembre glacial, il neigeait sur Londres. La circulation était presque impossible. Le manteau blanc qui avait recouvert la vieille cité étouffait les bruits. Il valait mieux demeurer chez soi, une tasse de thé ou un verre de rhum à proximité, pour admirer le spectacle depuis les fenêtres d'un intérieur douillet et bien chauffé.

Ce n'était pas l'avis de Sir Francis Bacon. L'ancien pilote de chasse, la soixantaine approchant, n'avait rien perdu de son goût pour les randonnées solitaires. Londres désert lui plaisait. A onze heures du soir, le héros de la R.A.F., qui s'était tant battu contre la tyrannie et pour la gloire de son pays, marchait d'un pas alerte dans les rues vides et silencieuses.

Cette promenade avait un but. Si le visage austère du lord s'illuminait d'un sourire, c'est qu'il allait retrouver quatre couples d'amis dans son club privé, « Tradition », le plus fermé et le plus sélectif du Royaume-Uni. Cette soirée s'annonçait exceptionnelle, puisque les portes du club s'ouvraient, le temps d'une réception, aux épouses des quatre meilleurs amis du président. L'événement n'avait lieu qu'une fois par siècle.

Sir Francis Bacon donna quelques livres à une vieille clocharde qui avait pris ses quartiers d'hiver à une cinquantaine de mètres de l'hôtel particulier abritant « Tradition ». Assise sur une bouche de chaleur, emmitouflée dans un inextricable réseau de chiffons, elle était aussi immobile qu'une momie. Elle marmonna un vague « merci ».

Situé au cœur de Bloomsbury, non loin du British Museum, le club « Tradition » était, d'après des spécialistes réputés, le plus ancien d'Angleterre. A l'origine, il ne s'agissait que d'une taverne. Après le grand incendie qui avait fait disparaître la plupart des maisons en bois, les adhérents avaient fait construire une demeure de pierre. Au début du XIXᵉ siècle, ils avaient commandé une façade pompeuse à l'architecte Decimus Barton, fiers de manifester ainsi leur richesse et leur importance sociale.

Sir Francis Bacon n'aimait guère cet art lourd et prétentieux mais appréciait la magie du lieu. Trois volées d'escalier de six marches chacune, aménagées entre quatre paires de colonnes ioniques, donnaient accès à trois grandes portes surmontées d'un balcon aux balustrades de pierre. Plus haut une frise narrant les travaux d'Hercule, courait au-dessus d'une rangée de fenêtres à petits carreaux. Enfin, protégé par une nouvelle balustrade, un dernier étage au toit plat.

Le lord frappa trois fois trois coups à la porte centrale. C'était son code personnel.

Vint ouvrir un homme d'une quarantaine d'années en jaquette et pantalon rayé. Le front dégarni, le visage orné d'un fin collier de barbe, il portait une cravate grise en soie naturelle d'une remarquable sobriété et avait égayé son habit noir d'une rose rouge sombre à la boutonnière.

— Belle soirée d'hiver, Sir Francis.

— Bonsoir, Christopher. Mes invités sont-ils arrivés ?

— Je les ai installés dans la bibliothèque et leur ai servi votre meilleur sherry. Monsieur et Madame England, Monsieur et Madame Elope, Monsieur et Madame Jenssens, Monsieur et Madame Dean... Est-ce bien exact ?

— Parfait, Christopher, parfait !

Christopher prit le manteau de Sir Francis Bacon. Le secrétaire particulier du lord était l'âme et le gardien du club. Attentif au moindre détail, il détestait l'improvisation et l'amateurisme. Depuis qu'il était entré en fonction, neuf ans plus tôt, au sortir d'une brillante carrière universitaire, pas un seul incident n'avait entaché la vie du club.

— Rien de particulier ? interrogea Sir Francis.

— Tout est en ordre, Sir. Les domestiques sont partis. Je servirai moi-même les sherry puis le dîner froid.

— Désolé de vous infliger cette corvée à une heure aussi tardive... Cela ne se reproduira plus.

— Nécessité fait loi, Sir. Et ce club est le vôtre.

D'un œil aussi expert que discret, Christopher inspecta le smoking et le nœud papillon de Sir Francis. Rien à signaler. Le héros de la R.A.F. portait beau, comme à son habitude. Son abondante chevelure blanche formait une couronne naturelle, ajoutant à l'autorité innée du personnage. Christopher avait pour lui une admiration sans bornes que le maître de céans lui rendait bien. Mais les deux hommes n'avaient jamais échangé la moindre confidence sur ce point, ce qui aurait constitué la pire des fautes de goût.

— A vous de jouer, Christopher.

— Si vous voulez bien passer dans le salon de musique, Sir...

Le lord traversa le hall du club, tendu de velours

rouge mettant en valeur les moulures d'une rare finesse représentant des anges qui jouaient de la trompette au milieu d'entrelacs végétaux recouverts d'or fin.

Il passa, sans y prêter attention, devant une statue en marbre d'Athéna, déesse de la sagesse, l'emblème du club, puis monta un escalier à la rampe en fer forgée aux volutes aériennes, traversa un palier et pénétra dans le salon de musique, son havre de paix. Tentures de velours couleur or, lampadaires de style retour d'Egypte, fauteuils victoriens au dossier en forme de lyre, canapé rouge semi-circulaire, piano à queue et harpe se détachant sur un tapis d'Iran aux motifs géométriques... L'endroit était chaleureux, rempli de mélodies muettes. Sur le plus long mur, des tableaux signés Francis Bacon. Ils représentaient des hommes en méditation devant des montagnes, des pêcheurs, un combat entre deux épéistes. Bien des marchands avaient tenté de persuader le peintre de les vendre et d'entamer une carrière artistique. Mais Sir Francis était demeuré intraitable.

Le salon de musique... Sa création. Avec la plus belle de ses réussites, ce club « Tradition ». Ici se faisaient et se défaisaient bien des destinées, ici se rencontraient les plus hautes personnalités, loin des oreilles indiscrètes. Sir Francis, tel un grand prêtre, régnait sur cet univers secret dont il était le seul à posséder toutes les clés. Sans jamais apparaître sur le devant de la scène, inconnu du grand public, l'ex-pilote était considéré comme un sage donnant des conseils aussi précieux qu'écoutés. Quant à son club, il était devenu un haut lieu de négociation où bien des conflits de toutes nature avaient été évités.

Ce soir, Sir Francis réunissait ses proches, les plus anciens membres du club. Eux croyaient assister à une simple fête. Mais il comptait leur dévoiler un secret. Cette tâche accomplie, il pourrait envisager l'avenir avec davantage de sérénité. Comme il se l'était promis, et comme il l'avait laissé entendre à ses proches, il annoncerait un jour sa démission. Personne ne pourrait le faire revenir sur sa décision.

Ce jour était arrivé.

Sir Francis envisageait sa retraite sans tristesse, sachant que l'essentiel de son œuvre serait préservé, surtout contre les charognards de tout poil, comme ce financier aux dents longues qui avait tenté d'acheter le club ? « Tradition » ne serait jamais à vendre.

Il s'installa au piano. Loin d'être un excellent instrumentiste, il prenait plaisir à jouer des pages de Bach et de Mozart sans trop massacrer les partitions. Se délier un peu les doigts et l'âme était le meilleur moyen de se préparer à une entrevue capitale.

La porte du salon de musique s'ouvrit sans que Christopher eût frappé. Sir Francis fut choqué. Jamais son secrétaire particulier ne s'était autorisé pareille liberté.

— Qu'est-ce que cela signifie, Christopher ?

En guise de réponse, des pas précipités.

Avant qu'il ait eu le temps d'ébaucher un geste, Sir Francis ressentit un choc violent dans le dos. Aussitôt une insupportable douleur enflamma sa poitrine. Il cracha du sang.

Il réussit à se retourner.

— Vous... murmura-t-il.

Dans un ultime réflexe, il fit de nouveau face au piano. Son pouce, son index et son majeur enfoncèrent un ré, un fa et un fa dièse.

Un second choc, presque aussi violent que le premier, le fit s'affaler sur le clavier.

Le cœur de Sir Francis éclata. Sa tête s'inclina sur la gauche et il mourut, alors qu'on le frappait encore.

CHAPITRE II

Au terme d'une longue promenade matinale dans la forêt, l'ex-inspecteur-chef Higgins regagna son cottage, vieille demeure familiale sise dans un petit village de Gloucestershire, *The Slaughterers*, au nord de Londres. La neige tombait sans interruption depuis deux jours. Amoureux du froid, de l'humidité et des ciels gris, Higgins appréciait le début d'un hiver qui s'annonçait heureusement long et rigoureux.

De taille moyenne, plutôt trapu, les cheveux noirs, les tempes grisonnantes, arborant une fine moustache poivre et sel, l'œil malicieux et inquisiteur, d'une apparente lenteur qui n'excluait pas la souplesse d'un chat, Higgins avait pris une retraite prématurée malgré les supplications de ses supérieurs de Scotland Yard qui eussent souhaité lui confier d'importantes responsabilités. Mais l'inspecteur-chef avait choisi les charmes de la campagne anglaise, la lecture des bons auteurs et la culture des roses.

Plus il vieillissait, moins Higgins avait envie d'être beau, charmeur et en bonne santé. Il avait connu trop d'imbéciles en excellente forme et à l'esthétique parfaite. Les crises d'arthrite ne l'empê-

13

chaient pas de relire avec fruit *La tempête* de Shakespeare et de savourer les poésies de Harriet J. B. Littlewoodrof, futur Prix Nobel de littérature.

Higgins s'arrêta sur le petit pont de bois de la rivière Eye et consulta son oignon qui marquait huit heures du matin. Il avait encore quelques minutes pour contempler la maison où il coulait des jours paisibles. Il succombait avec délice au charme de ses pierres blanches, de son porche à deux colonnes, de ses fenêtres du xviiie siècle, et de son toit d'ardoises. Lorsque les circonstances l'obligeaient à la quitter, il en éprouvait une vive contrariété.

A huit heures cinq, il pénétra chez lui à pas feutrés, passa sans bruit devant la cuisine de sa gouvernante Mary, une redoutable personne de soixante-dix ans qui avait traversé deux guerres sans avoir connu la moindre maladie, croyait en Dieu et en l'Angleterre, et gouvernait la maisonnée à la manière d'un tyran. Higgins et elle avaient conclu un pacte de non-agression, chacun s'interdisant le domaine de l'autre.

Ce matin-là, Higgins avait espéré s'emparer du *Times* avant que Mary ne le dérobât, contrairement à ses engagements. Elle parvenait à ôter la bande d'abonnement, à lire le journal, à le replier et à remettre la bande avec une habileté diabolique, certaine que l'ex-inspecteur-chef ne s'en apercevrait pas. Il avait mis longtemps à démonter le mécanisme de la forfaiture.

Un frottement appuyé contre sa jambe gauche l'arracha à la déception. Trafalgar, un superbe siamois aux yeux d'un bleu profond, réclamait son petit déjeuner. L'hiver, il ne quittait pas le coin du feu, sachant que Higgins ne manquerait pas de lui apporter le nécessaire et l'agréable. Trafalgar précéda l'ex-inspecteur-chef dans la cuisine privée où ce dernier lui préparait de succulents petits plats, hors de la présence de Mary qui jugeait le siamois paresseux et voleur, indigne d'habiter une maison de qualité.

De son domaine réservé, Higgins avait exclu téléphone, radio et télévision dont Mary, moderniste à tout crin, s'était emparés. L'homme du Yard n'aimait rien tant que le silence bruyant de la campagne, peuplée de chants d'oiseaux, de bruissements de feuillages et de sons de cloches.

Trafalgar bondit sur sa chaise. Affamé, il se mettait ostensiblement à table.

La cuisine de Higgins était un hymne aux boiseries de chêne qui en faisaient un lieu secret et chaleureux, éclairé par deux fenêtres à petits carreaux donnant sur une pelouse rendant jaloux les meilleurs jardiniers. Mais l'heure n'était pas aux rêveries bucoliques.

Œufs au bacon, jambon d'York, harengs, pain grillé provenant de son propre four, beurre de ferme, marmelade d'Oxford, confiture de fraises récoltées dans son jardin, pommes provenant de son verger... Higgins n'avait rien oublié d'essentiel. Pendant que le siamois dégustait les harengs et les œufs d'un bel appétit, l'homme du Yard se prépara un café, un pur Arabica qui relevait le goût de ce festin matinal. Higgins était le seul Anglais qui avait le thé en horreur. Tout au long de sa carrière, grâce à une série de ruses, il avait réussi à préserver ce lourd secret.

Il portait à sa bouche une tartine grillée nappée de confiture de fraises lorsqu'on frappa violemment à la porte de la cuisine.

— Téléphone, hurla Mary. Urgent.

Higgins se leva et ouvrit, courroucé.

— Pour moi ?

La robuste gouvernante haussa les épaules.

15

— Un militaire mal élevé... Il se prétend colonel. Ce ne sont pas mes affaires. Voyez vous-même ou je raccroche.

Higgins connaissait bien un colonel, Sir Arthur Mac Crombie qui appartenait au cercle très restreint d'amis auxquels il ne pouvait rien refuser. En retraite, Mac Crombie avait amassé fiches et dossiers qui faisaient de lui la plus vaste mémoire de la Seconde Guerre mondiale. L'homme du Yard avait eu quelquefois recours à Mac Crombie pour obtenir un détail indispensable à la bonne marche de l'enquête. Mais le colonel, connaissant le caractère difficile de Higgins, n'avait jamais osé l'appeler chez lui. Malgré l'humiliation qu'il devait subir en répondant à l'injonction de Mary, l'ex-inspecteur-chef voulut en avoir le cœur net.

— Allô, Higgins ? Merci d'avoir répondu...

C'était bien la voix de Sir Arthur Mac Crombie, mais une voix cassée, éteinte, presque vaincue. D'ordinaire, le colonel triomphait avec une belle assurance, traitant d'anarchistes tous ceux qui n'avaient pas suivi une carrière militaire.

— Etes-vous malade, Arthur ?

— Moi ? Non. Mais notre vieille Angleterre est secouée par un drame affreux. Tu as lu *le Times*, je suppose ?

De l'index gauche, Higgins lissa sa moustache poivre et sel. Une façon comme une autre de contenir ses nerfs. C'était bien lui l'abonné au journal et pas Mary. Il payait pour bénéficier de nouvelles vierges et non d'un quotidien de seconde main qu'il n'avait même pas eu le loisir de consulter, ce matin-là.

— Trop occupé, répondit sèchement Higgins. Une mauvaise nouvelle ?

Mac Crombie poussa un soupir de désespoir.

— Tu as déjà entendu parler de mon vieux

camarade Sir Francis Bacon, un as de la R.A.F., un authentique héros...

Higgins craignit que le colonel se lançât une nouvelle fois dans un récit complet de la bataille d'Angleterre, avec force descriptions d'exploits guerriers. Mais Mac Crombie semblait vraiment en état de choc. Il s'exprimait avec difficulté, hachant ses phrases, reprenant fréquemment son souffle.

— Francis a été assassiné, révéla Arthur Mac Crombie. D'une horrible manière. Et sa mort ne passe pas inaperçue. *Le Times*...

— Je vais le lire.

— Le journal ne dit pas tout, ajouta le colonel. S'il précise bien que Francis présidait aux destinées du club « Tradition », il oublie d'indiquer que l'endroit abritait des entretiens très discrets entre de hautes personnalités de la politique, de la finance, de...

— J'ai compris, l'interrompit Higgins. Une sombre histoire de meurtre à la clé. Une situation qui me dépasse...

— Higgins ! Au nom de notre amitié, je te demande de t'occuper de cette affaire ! Francis ne méritait pas cette mort-là... Tu n'as pas le droit de la laisser impunie.

Higgins, que d'aucuns considéraient comme le meilleur nez du Yard, se savait pris au piège. L'amitié étant pour lui la valeur la plus sacrée, il n'avait aucune échappatoire.

— Qui s'occupe officiellement de l'enquête ? demanda-t-il au colonel.

— Le superintendant Scott Marlow.

Higgins le connaissait de longue date. Le superintendant était un policier honnête et consciencieux. Il avait seulement le tort de trop croire au progrès et d'accorder une confiance excessive aux méthodes modernes.

17

— Quand arrives-tu à Londres ? s'enquit le colonel. Je t'attends pour dîner et...

— Au nom de notre amitié, Arthur, j'accepte de m'intéresser à ce crime. Mais je pose une condition : agir à ma guise. Nous n'aurons pas le temps de nous voir avant que j'obtienne des résultats... Si j'en obtiens...

— Comme tu voudras...

Higgins échappait ainsi à une épreuve redoutable : les ragoûts préparés par la cuisinière galloise du colonel.

— Souhaites-tu que je t'apporte mon aide ?

— Surtout pas ! répliqua Higgins. Ne t'occupe de rien. Je te tiendrai au courant.

— Je compte sur toi, insista le colonel. Francis Bacon était un homme formidable. Son meurtrier est la pire des canailles. Il ne doit pas échapper à la justice.

— Je ferai de mon mieux, assura Higgins avant de raccrocher.

Mary, les poings sur les hanches s'impatientait.

— Ce n'est pas trop tôt, dit-elle. Ma cuisine n'est pas une cabine téléphonique.

— N'auriez-vous pas vu *le Times*, par hasard ?

— Il se trouve dans votre boîte à lettres, comme chaque matin, affirma-t-elle. Perdriez-vous la mémoire ?

Ulcéré, Higgins battit en retraite. Tout se liguait contre lui. Il n'avait pas la moindre envie de se rendre à Londres pour s'occuper de l'assassinat d'un individu qu'il ne connaissait pas, d'abandonner son cottage pour les brumes de la capitale, de plonger dans l'univers du crime au lieu de goûter la chaleur d'un feu de bois et la quiétude de sa bibliothèque.

CHAPITRE III

Quand Higgins atteignit la porte du club « Tradition », gardée par deux Bobbie's, il était d'une humeur excécrable. Le voyage en train avait été des plus pénibles. Il avait dû subir la compagnie d'un couple bavard étalant ses dissensions et le babillage d'enfants confondant le compartiment avec une salle de jeux. La lecture du *Times* lui avait appris que Sir Francis Bacon était l'une de ces éminences grises tirant dans la coulisse les fils de marionnettes s'agitant en public.

Héros bardé de décorations qu'il ne portait pas, conseiller occulte de plusieurs hautes personnalités qui le considéraient comme un sage, il ne comptait, bien entendu, que des amis. Aux yeux du rédacteur de la rubrique nécrologique, l'assassinat du distingué président du très respectable club « Tradition » était tout à fait inexplicable. Il faudrait la perspicacité de Scotland Yard pour identifier un coupable.

— Auriez-vous l'obligeance d'annoncer l'ex-inspecteur-chef Higgins au superintendant Marlow ? demanda-t-il au plus grand des deux policiers en uniforme.

La réaction fut rapide. Le superintendant vint lui-

19

même chercher Higgins pour l'introduire dans le hall du club.

— Higgins! Quelle surprise! Qu'est-ce qui vous amène ici?

L'ex-inspecteur-chef dévoila à son collègue l'exacte vérité.

— J'espère ne pas vous gêner, ajouta-t-il. Ce type d'enquête ne me plaît guère.

— A moi non plus, avoua Scott Marlow. On m'a prié avec fermeté de ne pas faire la moindre vague. Plusieurs ministres — et non des moindres — fréquentent le club. La Couronne appréciait beaucoup le défunt. Le Yard doit aboutir très vite. J'ai carte blanche. Notre collaboration pourrait s'avérer efficace, une fois encore...

Higgins hocha la tête. La plupart du temps, il s'arrangeait pour laisser Scott Marlow cueillir les lauriers de la victoire. La carrière du superintendant s'en portait fort bien. Mais pourquoi diable, s'interrogeait Higgins, continuait-il à s'habiller aussi mal? Costume gris terne mal coupé, cravate verte mal assortie, chaussures peu soignées, imperméable froissé... Un jour, peut-être, l'ex-inspecteur-chef devrait-il aborder ce sujet de fond avec Marlow. Le seul avantage de Londres était de compter des artisans de génie comme Trousers, dans Regent Street, qui fournissait à Higgins de superbes pantalons de flanelle anthracite.

Scott Marlow avait réussi à masquer sa satisfaction de voir arriver Higgins avant qu'il n'ait sollicité son aide. Le superintendant avait, certes, la capacité de traiter avec succès cette affaire criminelle, mais deux précautions valaient mieux qu'une. Pour réaliser son rêve d'enfant, faire un jour partie du corps d'élite assurant la protection rapprochée de la plus belle femme du monde, la reine Elizabeth II d'Angleterre, le superintendant ne devait commettre aucun faux pas. Or il avait la désagréable sensation qu'une trappe s'ouvrait sous ses pieds.

Higgins étudiait le hall d'un œil distrait, gravant malgré lui dans sa mémoire la couleur de la moquette, la chaleur du velours rouge, les moulures représentant des anges, la statue d'Athéna. Il régnait dans cette demeure un calme profond. Les nerfs tombaient. Malgré le tragique de la situation, Higgins se laissa envoûter par cette atmosphère sereine, comprenant pourquoi tant d'entretiens secrets de la plus haute importance s'étaient déroulés avec succès en ces lieux.

— Comment Sir Francis Bacon a-t-il été tué ?

— D'une manière sauvage et barbare, répondit Scott Marlow. A quatre reprises on lui a planté une lance dans le dos. L'une des blessures est très profonde et lui a transpercé le cœur. Le coup a été porté avec précision et une grande violence. Une seconde plaie est également mortelle, à hauteur du poumon droit. Les deux dernières sont moins graves. L'arme a dérapé sur l'omoplate.

— Avez-vous tiré une conclusion de l'examen du légiste ? Un ou plusieurs assassins ?

— Impossible à dire, Higgins... Officiellement, il y a eu assassinat, c'est tout. Aucun autre détail ne sera donné à la presse.

— L'arme du crime ?

— Retrouvée à côté du cadavre. Voici des photographies. Le labo est en train de la passer au peigne fin. Avec un peu de chance, nous pourrions trouver des empreintes.

Higgins contempla les clichés. L'arme du crime lui parut les plus étranges. Une pointe très allongée, un manche assez court. Il conserva une photographie.

— A-t-on établi sa provenance ?

— Non, répondit le superintendant.

— Le lieu du crime ?

— Le salon de musique. Venez, je vais vous le montrer.

Higgins fut séduit par la magie de la pièce, la beauté du piano, l'élégance de la harpe.

Pourtant, ce n'était plus l'harmonie qui régnait dans ce salon dévasté. Les tentures de velours or avaient été lacérées, les lampadaires et les sièges renversés et éventrés, les tableaux décrochés et jetés sur le tapis d'Iran en partie retourné.

L'ex-inspecteur-chef fit quelques pas prudents, comme s'il avançait sur un terrain miné.

— Avez-vous trouvé la pièce dans cet état ?

— Exactement. Les deux fenêtres étaient ouvertes. L'une des vitres était brisée... Je l'ai fait remplacer à cause du froid.

— Le cadavre ?

— Affalé sur le clavier du piano.

Higgins ouvrit l'une des deux fenêtres qui donnait sur une ruelle longeant l'hôtel particulier. Trois mètres environ séparaient le sol de la rambarde.

— La vitre brisée ?

— En bas, à droite de la fenêtre la plus proche du piano, précisa Scott Marlow. Il y a encore autre chose... Ceci.

Scott Marlow sortit de sa poche une pochette de plastique contenant une petite croix rouge sang dont la branche inférieure était creusée de multiples entailles.

— Cette croix avait été placée sur la chaussure gauche de la victime. Bizarre.

Higgins se pencha longuement sur l'insolite objet.

— A quelle religion appartient-elle ? demanda le superintendant.

— Aucune idée. Jamais rien vu de semblable. Je suppose que vous avez interrogé tous les témoins, mon cher Marlow ?

— Bien entendu. Il y avait neuf personnes présentes dans l'hôtel particulier. Le secrétaire de la victime et quatre couples d'invités à une réception très tardive. Les interrogatoires, malheureusement...

Higgins s'était arrêté devant un tableau représentant un potier, peint avec des teintes chaudes, comme enveloppé de rayons de lumière qui faisaient de son visage un soleil.

— Malheureusement ? Que voulez-vous dire ?

Scott Marlow, gêné, prit un air contrit.

— Le secrétaire loge ici. Les huit autres, je n'ai pu les retenir... Leurs relations, leur rang social, le fait qu'ils ne soient que des témoins...

— Fort bien, admit Higgins. Avez-vous pu cependant... converser avec ces personnalités ?

— Je l'ai exigé, se rembrunit le superintendant.

— Avez-vous reconstitué ce qui s'est passé ?

Scott Marlow consulta un carnet sur lequel il avait pris des notes, espérant prouver à Higgins qu'il était capable de le concurrencer sur son propre terrain.

— Les faits sont les suivants : le secrétaire du lord a été assommé au moment où il sortait de l'office pour apporter quelques toasts aux hôtes de son patron. Le personnel ayant quitté l'hôtel particulier vers dix heures, il avait accepté de rendre ce service. Il n'a donc rien vu ni entendu. Avant d'être agressé, ce secrétaire avait accueilli les quatre couples dans la bibliothèque où, conformément aux habitudes du club, il leur avait offert un verre de vieux sherry. Après en avoir bu, ils ont sombré dans l'inconscience. Le premier à s'être réveillé, semble-t-il, est le fabricant d'armes Jasper Dean. Il n'a pas vu le secrétaire inanimé dans le hall. Mécaniquement, il s'est dirigé vers le salon de musique. Il a découvert le cadavre et a ôté la lance. Les autres se sont réveillés peu après lui, mais leurs témoignages sont confus, incohérents. Même Jasper Dean croit s'être évanoui de nouveau et ne me garantit pas l'exactitude de ses déclarations.

Le superintendant était accablé.

— Ne soyez pas inquiet, le rassura Higgins, s'apercevant que cette affaire était non seulement embrouillée mais encore remplie de pièges. Avec de l'ordre et de la méthode, vous parviendrez à démêler les fils de l'intrigue. Le sherry a-t-il été analysé ?

— Bien sûr. Il contenait un somnifère à action rapide.

— A quelle heure les invités se sont-ils réveillés ?

— Vers cinq heures du matin.

— Le secrétaire était donc toujours inconscient ?

— En effet. Il a été sévèrement frappé à la nuque. C'est un médecin du Yard qui l'a soigné car il a refusé de quitter le club. Vous le trouverez dans la bibliothèque. Il affirme avoir trop de travail pour perdre son temps à l'hôpital.

Higgins, enjambant les tableaux, continuait ses allées et venues dans le salon de musique, ce lieu de paix et d'harmonie qu'avait bouleversé la volonté de détruire. L'ex-inspecteur-chef eut le sentiment que le mystère ne serait pas facile à percer.

— Où avez-vous procédé à l'interrogatoire des témoins ?

— Dans la bibliothèque, répondit Scott Marlow. Ils étaient tous en état de choc. Le secrétaire n'a prononcé que des phrases incompréhensibles. Les autres se plaignaient de maux de tête et de nausées. Ils étaient horrifiés par le meurtre. Je pense quand même avoir obtenu un indice décisif.

L'œil de l'ex-inspecteur-chef s'alluma.

— Lequel ?

— J'ai procédé moi-même à une fouille avant de

les laisser partir... Un coup de fil en provenance du 10 Downing Street, vous comprenez...

Higgins comprenait parfaitement. S'il avait quitté le Yard, c'était aussi à cause de ce genre de coups de fil. Aujourd'hui, il se contentait de chercher la vérité lorsqu'il se sentait concerné au plus profond de lui-même. Quoiqu'il arrivât, il allait jusqu'au bout. Ce que décidait ensuite la justice des hommes, il ne s'en préoccupait plus.

— Hommes et femmes, poursuivit Scott Marlow, avaient été dépouillés de leurs montres, de leurs portefeuilles et de leurs bijoux. Ils ne possédaient presque plus aucun effet personnel. J'ai même établi une liste détaillée.

— Pourrais-je la consulter ?

Marlow, non sans une certaine fierté, présenta le carnet sur lequel il avait pris des notes. Higgins les lut avec attention.

Résultats de la fouille
Objets personnels trouvés sur les témoins :

— CHRISTOPHER, secrétaire	: un stylo, un mouchoir, des billets de banque
— Ernie JENSSENS	: un bouton en nacre
— Hanna JENSSENS	: une épingle dorée
— Reginald-John ENGLAND	: un trousseau de clés
— Sue ENGLAND	: un poudrier miniature
— Freddy ELOPE	: un gant en caoutchouc très fin
— Eleonora ELOPE	: rien
— Jasper DEAN	: un plan de Londres
— Ruth DEAN	: un calepin miniature

— Avez-vous conservé ces objets, superintendant ?

— Hélas, non ! Ils ne me l'ont pas permis. Et ils

ont porté plainte pour le vol de leurs portefeuilles et de leurs bijoux. Euh... Vous ne prenez plus de notes sur un carnet noir, Higgins ?

— Soyez sans crainte, mon cher Marlow. Tout cela ne nous oriente-t-il pas sur la liste d'un criminel venu de l'extérieur pour dévaliser ces gens, voire d'un rôdeur profitant d'une bonne occasion ?

Le superintendant fit la moue.

— Ce serait trop simple... Vous oubliez la lance. Ce n'est pas une arme de cambrioleur.

— Ne concluons pas trop vite, recommanda Higgins. Tentons d'abord de savoir d'où elle provient. Là encore, il s'agit peut-être d'un concours de circonstances. Imaginez qu'un voleur professionnel ait su que ce club accueillait à une heure très tardive, ce soir-là, des gens très riches. Pas de domestiques, seulement le secrétaire du lord, des femmes couvertes de bijoux... Une aubaine.

Scott Marlow parut ébranlé.

— Pourquoi un cambrioleur aurait-il poignardé Sir Francis Bacon dans le dos ?

— Nous aurons à l'expliquer... si c'est explicable. Un autre concours de circonstances, peut-être... Fait certain : il y a eu vol. C'est sans doute le point crucial de cette sinistre affaire.

— Comment retrouver un rôdeur ! s'exclama Scott Marlow, désappointé.

— Ayez confiance dans le Yard, superintendant. Le voleur finira par commettre une erreur en vendant son butin. Consultez immédiatement les indicateurs qui s'occupent des receleurs.

— Trop long, Higgins, beaucoup trop long ! On me demande des résultats immédiats...

— Et si ce résultat était une conclusion d'enquête ? Si vous démontriez qu'il s'agit d'un crime sans préméditation commis par un voleur ?

Scott Marlow se gratta l'oreille droite.

— En ce cas, évidemment... Je vais travailler dans ce sens. Je veux fouiller ce club de fond en comble. Il ne faut négliger aucun indice.

— Excellente initiative, mon cher Marlow. J'aimerais interroger le secrétaire.

— A votre aise.

Higgins se dirigea vers la bibliothèque, laissant Marlow dans le salon de musique. L'ex-inspecteur-chef fit une halte dans le hall, s'assurant que personne ne l'observait. Il recopia rapidement sur son carnet noir les notes prises par Scott Marlow sur le sien. Il avait été obligé de le lui subtiliser pour prendre connaissance de la totalité des informations que son collègue lui aurait distillées avec parcimonie. C'est ainsi qu'il obtint les adresses des quatre couples d'invités. Il ne releva rien d'autre d'important.

Il entra dans la bibliothèque sans frapper.

Le secrétaire, surpris, leva la tête dans sa direction. Il était assis à un bureau couvert de dossiers.

— Christopher, je présume ?

— Oui... Qui êtes-vous et que me voulez-vous ?

— Higgins, de Scotland Yard. J'aimerais que vous me donniez le nom de l'assassin de Sir Francis Bacon.

CHAPITRE IV

— Je vous demande pardon ?

Eberlué, le secrétaire se leva, faisant face à son accusateur.

— Le rôle d'un secrétaire n'est-il pas d'être dans le secret ? suggéra Higgins. Avant d'être assommé, peut-être avez-vous aperçu votre agresseur ?

— Malheureusement, non.

— Que s'est-il passé exactement ?

Le secrétaire se rassit. Ni beau ni laid, il avait un visage allongé, un front dégarni, des yeux méditatifs. Le collier de barbe lui donnait une allure aristocratique, rehaussée par l'élégance de sa mise.

— J'avais servi, comme il est de tradition au club, un verre de vieux sherry aux invités de Sir Francis. Puis je suis sorti de la bibliothèque pour aller chercher quelques toasts au caviar que le cuisinier avait préparés à l'office. Je traversais le hall quand j'ai été agressé par-derrière. J'ai senti un choc sur la nuque et je me suis évanoui. Il me reste une belle bosse encore bien douloureuse.

— Vous devriez la badigeonner avec de la teinture mère d'arnica, préconisa Higgins. Dans quelques jours, il n'y paraîtrait plus. Quand vous êtes-vous réveillé ?

— Au petit matin... Le premier visage que j'ai vu fut celui de Mme England. Elle me secouait comme un prunier. « Ce n'est rien du tout, disait-elle. J'ai eu des bosses dix fois plus grosses que celle-ci. »

— Aviez-vous bu du sherry ?

— Je ne consomme jamais d'alcool, inspecteur.

— Pourquoi donc ?

— Ma fonction me l'interdit. Je dois avoir l'esprit clair en permanence.

— Est-ce vous qui servez le sherry, d'ordinaire ?

— Non. Etant donnée l'heure tardive, j'ai suppléé le maître d'hôtel. Chaque membre du club sait que la bouteille est toujours au même endroit depuis sa fondation, entre *Le songe d'une nuit d'été* de Shakespeare et *Le paradis perdu* de Milton.

Higgins s'avança vers la bibliothèque, remplie de magnifiques reliures. L'endroit fleurait bon la littérature classique, les vieux auteurs, le travail bien fait. Boiseries de chêne massif, fauteuils profonds, tapis épais, tentures vieil or composaient un univers clos, à l'abri des modes et des influences extérieures.

Higgins constata que la bouteille de sherry était à sa place.

— J'en ai remis une autre, expliqua Christopher. Elle provient de la cuvée exceptionnelle conservée dans la cave. C'est la tradition du club.

— Possédez-vous des œuvres de Harriet J. B. Littlewoodrof ? s'enquit l'ex-inspecteur-chef.

Christopher, soucieux, posa le regard sur les rayonnages.

— Je ne crois pas... Qu'a-t-elle écrit ?

— D'admirables recueils de poèmes comme « Soir de terre » ou « La menthe verte ». Une métrique implacable au service d'une riche sensibilité. Une bibliothèque de cette qualité ne peut

30

ignorer un futur prix Nobel. Je vous procurerai des exemplaires numérotés.

— Je les accepterai avec reconnaissance et les lirai avec attention comme les autres volumes recensés ici.

— Vaste culture, en vérité...

Higgins toucha du doigt l'une des colonnes corinthiennes rythmant l'espace de la bibliothèque. C'était du marbre et non du stuc. Tout, dans la bibliothèque, était authentique : la cheminée provenant d'un château écossais du moyen âge, les fauteuils Régency, les cendriers en argent, les pendules victoriennes. Des pilastres rainurés avec un art délicat séparaient les rayonnages.

— Qui était Sir Francis Bacon ?

— Un homme exceptionnel, répondit Christopher sans hésiter. Un héros de la R.A.F. aux yeux de tous, le meilleur des administrateurs, le patron incontesté du plus fameux club de Londres, le...

— Je sais tout cela, l'interrompit Higgins.

— En douteriez-vous ?

Le ton du secrétaire s'était fait agressif.

— Pas un instant. Mais j'aimerais mieux le connaître. Vous étiez son plus proche collaborateur, peut-être son ami...

Christopher leva le menton. Son émotion devint perceptible.

— Sir Francis m'honorait de son amitié, en effet... Il n'accordait pas sa confiance à n'importe qui. De très importantes personnalités venaient ici et...

Le secrétaire s'interrompit, comme s'il en disait trop.

— Et vous deviez leur garantir une totale discrétion ? suggéra Higgins.

Christopher approuva d'un hochement de tête.

— Comment cela se passait-il ?

31

— Les membres du club venaient déjeuner ou dîner, lire un journal, consulter un livre, fumer un cigare... Lorsqu'une entrevue particulière était organisée, les participants étaient conviés par Sir Francis dans le salon de musique.

— Ainsi, il assistait à toutes les conversations ?

— Non. La semaine dernière, par exemple, un ministre a rencontré une syndicaliste dans le plus grand secret... Sir Francis les a laissés entre eux. La politique ne l'intéressait pas. Ce qu'il désirait, c'était l'harmonie. Il cherchait sans cesse à créer des liens entre les puissants de ce monde, à les amener à discuter, à confronter leurs points de vue sans jouer la comédie comme ils sont obligés de le faire en public.

— Je suppose que vous approuviez cette attitude ?

— Tout à fait, inspecteur.

Higgins, ennuyé, baissa les yeux, admirant le magnifique tapis d'orient au rouge profond.

— J'ai une question très délicate à vous poser... Vous pouvez refuser d'y répondre.

Christopher fronça les sourcils.

— Je vous écoute...

— Sir Francis conservait-il des dossiers... ou des enregistrements ?

Les doigts de la main droite du secrétaire se crispèrent sur un cendrier en argent massif. Un instant, Higgins crut qu'il allait lui jeter à la figure.

— Ne vous avisez plus de proférer de pareilles calomnies. Je ne permettrai à personne de salir la mémoire de l'homme le plus intègre que cette terre ait jamais porté.

— Pardonnez-moi, dit Higgins en s'asseyant pour prendre des notes sur son carnet noir à l'aide d'un crayon Staedler Tradition B à la pointe bien taillée.

Aviez-vous de longues conversations avec Sir Francis !

— Rarement, inspecteur. Il n'était guère loquace. Nous nous comprenions à demi mots. Pourtant, il y a une semaine, il s'est assis sur le fauteuil où vous avez pris place. Il était plus de minuit. Nous étions seuls et nous avons parlé plus de deux heures. Je crois... Je crois qu'il m'a traité un peu comme son fils, cette nuit-là. Il a évoqué ses peurs de pilote de chasse, ses joies d'avoir réussi à faire de ce club un havre de paix, sa certitude que la corruption n'avait pas tout envahi et que le monde irait mieux demain.

Higgins commençait à cerner la personnalité de Sir Francis Bacon. Elle lui rappellait celle d'un vieux sage qu'il avait connu en Orient pendant son adolescence itinérante. Ces hommes-là appartenaient à une race particulière capable de résister le front haut aux pires épreuves. Ils avaient une ligne de conduite et n'en variaient pas, quelles que fussent les circonstances. Ils attiraient des jalousies féroces de la part des médiocres. Des jalousies qui pouvaient devenir mortelles.

Une lueur d'intérêt s'éveilla dans l'esprit de Higgins. Il commençait à se sentir concerné par le drame qui s'était produit dans ce club huppé. Jusqu'à présent, il s'était contenté de rendre service à un ami. Insensiblement, la situation évoluait. L'ex-inspecteur-chef se prenait à aimer cet endroit, à déplorer la disparition d'un être de qualité, à désirer que la vérité fût établie.

Ces impulsions l'irritèrent. Il espérait quitter Londres au plus vite et regagner son cottage après avoir avoué son incapacité à résoudre l'enquête. Et voici qu'il se croyait obligé d'interroger tous les témoins et de reprendre l'enquête à son début...

— Comment expliquez-vous la sauvagerie du crime ?

Le secrétaire parut interloqué.

— Sauvagerie... Pourquoi ce terme ?

Ce fut au tour de Higgins d'être surpris.

— Ignorez-vous les circonstances du trépas de Sir Francis ?

— Non... Votre collègue m'a confié qu'il avait reçu un coup fatal sur la tête... Je n'ai pas vu le cadavre. Je ne pourrai rendre hommage à Sir Francis que pendant son inhumation.

— Vous n'êtes donc pas entré dans le salon de musique après votre réveil ?

— Non... La police était déjà là et en interdisait l'accès.

Higgins hésita à révéler la vérité. Le choc risquait d'être rude.

— J'ai peine à croire que vous ignorez la manière dont Sir Francis a été tué.

— C'est pourtant la vérité, inspecteur.

La voix de Christopher ne tremblait pas.

— Sir Francis Bacon a été poignardé dans le dos à quatre reprises, expliqua Higgins. Avec une rare violence qui prouve une haine féroce.

Le secrétaire particulier du lord pâlissait à vue d'œil.

— C'est abominable... Mais qui a pu...

— Scotland Yard est ici pour identifier l'assassin, dit Higgins, sévère. Ou les assassins... Connaissez-vous quelqu'un dans l'entourage de Sir Francis, qui a le goût des armes blanches ?

Christopher, d'une démarche hésitante, se dirigea vers le rayonnage de la bibliothèque où se trouvait la bouteille de vieux sherry. Il s'en versa un verre, le but cul sec et s'effondra dans un fauteuil.

— Vous ne buviez jamais, rappela Higgins, d'après vos propres déclarations.

— C'est bien pourquoi la tête me tourne déjà... Je commence à réaliser, inspecteur... L'homme que je vénérais le plus en ce monde est mort, il a été lâchement assassiné... Je... Je me sens mal...

— Reprenez-vous, pria Higgins, paternel. Ce n'est pas en perdant la maîtrise de vous-même que vous aiderez l'âme de Sir Francis à connaître le repos.

Christopher leva vers Higgins des yeux égarés. Ce dernier était décidé à lui imposer une nouvelle épreuve.

— Je suppose que vous ignorez tout, également, de l'arme du crime ?

— Inspecteur...

— Je vais vous montrer une photographie prise par l'identité judiciaire.

Christopher examina le cliché que lui présentait Higgins. Il sursauta.

— Mais c'est... la lance d'Athéna !

Se levant d'un bond, le secrétaire sortit en courant de la bibliothèque. Higgins, sans précipitation, le suivit.

Christopher s'était immobilisé devant la statue d'Athéna, trônant dans le hall du club « Tradition ».

— Voyez inspecteur ! C'est bien l'arme de la déesse !

— Depuis combien de temps a-t-elle disparu ?

— Elle n'a pas disparu... Elle était si abîmée que Sir Francis a demandé à son ami Jasper Dean de la réparer. Il l'a rapportée le soir où il était invité, le soir où Sir Francis a été...

— La lance a-t-elle été immédiatement remise dans la main de la déesse ?

— Oui, inspecteur. Par M. Dean lui-même.

Higgins tâta les tentures pour vérifier leur qualité. Il les souleva, examina les murs.

— Vous... Vous cherchez quelque chose, inspecteur ?

— Lors de la fouille pratiquée par le superintendant Marlow, il a constaté que vous déteniez une forte somme d'argent en billets de banque... Pourrais-je savoir d'où elle provenait ?

Croisant les bras, le secrétaire s'adossa à la statue d'Athéna.

— Une prime exceptionnelle accordée par Sir Francis. A propos d'argent...

Higgins évita de regarder le secrétaire. Il sentait que ce dernier était sur le point de lui fournir une indication de première importance. Il ne fallait pas couper son élan. La première qualité d'un confesseur n'était-elle pas de savoir se taire au bon moment ?

— Ce matin, j'ai eu l'autorisation d'entrer dans le salon de musique. Le superintendant m'a demandé si rien n'avait disparu. J'étais tellement bouleversé par le désordre qui régnait là qu'un détail m'a échappé. Le tiroir du petit bureau installé derrière le piano gisait sur la moquette. Il était vide... Ce n'est pas normal. Il y avait toujours une somme en argent liquide que Sir Francis utilisait pour les primes.

— Faites-moi donc visiter le club, exigea Higgins. Je ne connais encore que le hall, la bibliothèque, l'escalier qui mène au salon de musique et le salon lui-même.

— Volontiers, inspecteur. Je vous précède.

« Tradition » était un club des plus classiques, comprenant une série de salons cossus où l'on pouvait dîner, prendre un verre, lire son journal, rencontrer des amis et des relations. Une vaste cuisine, parfaitement aménagée, permettait à des cuisiniers d'élite de servir des repas à la française considérés comme les meilleurs de Londres. A l'étage, le salon de musique, un logement occupé par Sir Francis lorsqu'il n'était pas chez lui ou en voyage et un autre réservé à son secrétaire particulier.

Pendant sa visite, Higgins ne repéra rien d'insolite.

— Disposez-vous d'une chambre d'amis ? demanda-t-il.

— Oui, au deuxième étage à côté de la buanderie. Vous...

— C'est bien cela. Je compte m'installer ici pendant la durée de l'enquête.

— C'est que... le confort...

Higgins sourit.

— Je m'en accommoderai. Conduisez-moi.

La chambrette était pourvue d'un lit vétuste. L'équipement sanitaire, modeste, fonctionnait correctement. Pendant la guerre, Higgins avait connu bien pire. Il n'avait plus qu'à descendre chercher sa valise contenant un matériel de première nécessité et à se rendre chez Trouser's dont le principal vendeur veillerait sur sa garde-robe aussi longtemps qu'il serait nécessaire. Qui voulait survivre à Londres devait disposer des appuis indispensables.

Higgins s'assit sur le lit. Le sommier grinça raisonnablement. Christopher s'adossa à la fenêtre.

— Si je peux vous rendre quelque service, inspecteur...

— J'aimerais que vous me parliez des invités présents au club lors de cette tragique soirée...

L'ex-inspecteur-chef consulta son carnet noir. Une page serait consacrée à chacun des témoins. De sa fine et précise écriture, Higgins accumulerait les informations sans aucun préjugé. Comme un vieil alchimiste, il attendait que la « matière première » fût constituée avant d'entreprendre l'œuvre qui le mènerait peut-être vers la vérité.

— Je les connais assez mal, déclara Christopher, réticent.

— Ne sont-ils pas membres du club depuis plusieurs années ?

— Si... Et même bien davantage. Messieurs Dean, Elope, England et Jenssens sont membres fondateurs en compagnie de Sir Francis Bacon. M. Dean est fabricant d'armes commercialisées par l'Etat. M. Elope est chimiste dans un groupe de taille internationale. M. England est le patron d'une des plus importantes entreprises de transport du pays. Monsieur Jenssens est chirurgien militaire à la retraite. Je n'en sais pas davantage. Si vous n'avez plus besoin de moi, inspecteur, j'ai beaucoup de travail...

— Nous nous reverrons bientôt, dit Higgins, bonhomme.

Le secrétaire s'éclipsa comme s'il fuyait quelque danger. Plutôt coopératif jusque-là, il s'était brusquement contracté, refusant de s'exprimer sur le compte des invités privilégiés de la victime. Que signifiait cette attitude ? Higgins ne disposait pas encore des éléments suffisants pour répondre. Mais il nota soigneusement le fait, certain qu'il constituerait une pierre de l'édifice.

En maugréant contre lui-même, l'ex-inspecteur-chef dut admettre que l'assassinat du propriétaire de « Tradition » ne lui était plus indifférent. Une sorte de magie avait déployé ses charmes. Son esprit ne serait plus en paix tant qu'il n'aurait pas résolu cette énigme.

Alors qu'il descendait l'escalier aboutissant dans le hall, Higgins vit venir vers lui un Scott Marlow furibond.

— Higgins ! C'est un scandale ! On m'a volé mon carnet !

— C'est désolant, mon cher Marlow... Ne l'auriez-vous pas plutôt égaré ?

— Je suis sûr que non.

L'ex-inspecteur-chef, pensif, posa l'index droit sur ses lèvres.

— Réfléchissons... Vous avez passé le plus clair de votre temps dans le salon de musique... Accordez-moi quelques instants.

Les recherches menées par Higgins furent d'une remarquable brièveté. Il revint porteur du précieux objet.

— Le voici, dit-il triomphant. Il était derrière la harpe. Il a dû tomber de votre poche.

— Vous êtes un vrai magicien... Mille mercis.

— Ce n'est rien... Heureux de vous avoir rendu service. Sans vous commander, je crois qu'il serait bon d'établir un cordon de surveillance.

Scott Marlow ne cacha pas son étonnement.

— Pourquoi ce luxe de précautions ? Que craignez-vous ?

— Il y a eu vol. Mais le voleur a-t-il subtilisé tout ce qu'il cherchait ? Peut-être sera-t-il obligé de revenir... En ce cas, vous serez présent pour l'attendre et vous tiendrez l'assassin.

L'hypothèse parut des plus séduisantes au superintendant.

— Mais que cherchait le voleur ?

— Je n'en ai pas la moindre idée. Espérons que la chance nous servira. Je dormirai ici. Nous ferons le point après le dîner.

Scott Marlow connaissait l'indépendance farouche de son collègue. Personne ne l'empêcherait de mettre son plan à exécution. Il ne résista pas, cependant, à l'envie de l'interroger.

— Euh... Higgins... Sans vouloir vous importuner... Pourrais-je savoir... Ce que vous comptez faire ?

— Une simple promenade dans Londres, mon cher Marlow. A ce soir.

CHAPITRE V

Dans l'air très vif voletaient des flocons de neige. La chaussée avait été déblayée. Higgins s'apprêtait à héler un taxi lorsqu'il entendit fredonner un air provenant indiscutablement de la Cantate BWV 51 de Jean-Sébastien Bach, œuvre que l'ex-inspecteur-chef appréciait au plus haut point. Il tendit l'oreille qu'il avait aussi fine que celle d'un chat, détectant vite l'origine d'une émission vocale dont il déplora le style heurté. La musique de Bach ne supportait décidément pas une interprétation approximative, même si la soprano avait des circonstances atténuantes.

Sans aucun doute, en effet, c'était une vieille clocharde qui se lançait avec vaillance à l'assaut des arpèges vertigineux de l'allegro final de la cantate que seule Theresa Stich-Randall avait su vaincre avec une virtuosité doublée d'une indispensable élégance.

Intrigué, Higgins s'approcha de la musicienne emmitouflée dans des chiffons d'une propreté aussi douteuse que ses notes aiguës.

— Permettez-moi, chère madame, de vous féliciter pour le choix de votre répertoire.

L'ex-inspecteur-chef avait décidé de taire ses

41

critiques pour encourager cette surprenante passion.

La vieille termina malencontreusement sa montée chromatique par une éructation suivie d'une toux grasseyante. Avant même de dévisager son interlocuteur, elle plongea au cœur de ses chiffons pour en retirer une bouteille de bière. Elle but au goulot et s'essuya les lèvres d'un revers de manche.

— Ça vous a plu, inspecteur ?

— En quelque sorte, répondit Higgins, amusé. Comment savez-vous que j'appartiens à Scotland Yard ?

La clocharde fut secouée d'un rire énorme.

— Je suis locataire de cette bouche de chaleur depuis des lustres... L'endroit le plus intéressant du coin, c'est le club, là-bas... Il y entre souvent du beau monde ! Le soir, ça fait du spectacle... Avant-hier, quand les Bobbie's et un gros inspecteur à l'imperméable froissé ont débarqué, j'ai compris qu'il y avait eu du grabuge... Un crime, rien que ça ! Ce pauvre Sir Francis... L'un des rares types bien que compte cette ville de misère... Il ne passait jamais devant moi sans me donner quelque chose... Vous, quand je vous ai vu arriver, j'ai su que Scotland Yard envoyait une huile pour dénicher le meurtrier... Des inspecteurs comme ça, tirés à quatre épingles, on n'en fait plus... C'est vrai que Sir Francis n'est pas n'importe qui... Vous allez l'attraper ce salaud, hein ?

Le souffle alcoolisé obligea Higgins à reculer d'un pas.

— Telle est bien mon intention, affirma-t-il. Le soir du crime, vous trouviez-vous à cet endroit ?

— Je quitte rarement mon chez moi... J'ai des amis qui m'apportent à manger.

— Pourriez-vous me dire combien de personnes sont entrées au club après onze heures du soir ?

— Bien sûr que oui... J'ai une fameuse mémoire !

La clocharde se tapa le front avec le goulot de la bouteille de bière.

— Le premier couple est arrivé en taxi... Un petit bonhomme avec une moustache noire, sa femme une brunette pas grande non plus, fumant une cigarette... Second couple, un taxi aussi... Lui, un type nerveux avec un grand nez busqué, elle, une toute raide pincée... Troisième couple, voiture avec chauffeur... Lui, rondouillard, barbu, pète-sec, elle une blondasse qui s'y croit, râlant après son chauffeur... Quatrième, encore un taxi... Lui, un vieux rougeaud aux cheveux blancs, elle une brune auburn excitée... Ils en sont presque venus aux mains avant d'entrer... Mais pourquoi je vous raconte tout ça ? Je me fais encore posséder... Je suis vraiment trop bonne.

Une négociation s'imposait.

— Je suppose que vous acquittez un loyer pour cet emplacement, chère madame ?

— Evidemment, répondit la clocharde, soupçonneuse. En quoi ça vous intéresse ?

— Peut-être pourrais-je y participer...

— Pas la peine. Je me débrouille. Il y aurait bien quelque chose...

— Je vous écoute.

— Apportez-moi du thé. Du vrai. Du bon. Ensuite, on pourra causer.

« Lorsqu'on commence à marcher sur un chemin de croix, pensa Higgins, il faut aller jusqu'au bout. »

— C'est entendu. Nous nous revoyons d'ici peu.

— Moi, je bouge pas d'ici.

Higgins salua l'étrange cantatrice et héla un taxi. Assis à l'arrière, il déplora l'intrusion d'un placard publicitaire pour salon de coiffure, placé à côté de la plaque donnant le numéro de la voiture. Par bon-

43

heur, subsistait encore la vitrine séparant le chauffeur du passager et empêchant toute conversation stupide sur la qualité du temps et l'évolution de la politique britannique.

Le taxi déposa l'homme du Yard dans Beauchamp Place, une délicieuse rue étroite dont l'atmosphère était davantage celle d'un village de province que celle d'une grande métropole. Des boutiques anciennes au décor désuet et des restaurants pittoresques rendaient l'endroit attractif.

Higgins sonna à la porte de l'appartement des Dean. Un valet de chambre lui ouvrit.

— Scotland Yard. J'aimerais parler à M. Dean.

— Monsieur et Madame sont sortis. Un concert en faveur d'une œuvre de charité au Royal Albert Hall. Ils occupent la loge d'honneur. Ils viennent juste de partir.

L'ex-inspecteur-chef ne perdit pas une seconde. Par chance, le Royal Albert Hall n'était guère éloigné de Beauchamp Place. Higgins entra dans l'édifice dont la forme combinait cercle et croix avant que le concert fût commencé. On organisait là des soirées de musique viennoise, des concours de danse, des conférences sur le Christ. L'association des scouts y donnait un festival. En ce milieu d'après-midi, le Royal Albert Hall n'était peuplé que de messieurs en smoking et de dames en robe longue. Au programme, des œuvres de Tchaikovsky, notamment l'ouverture « 1812 » avec bruits de canon et de mortier. Une attention exquise de la part des hommes d'affaires, dont le fabricant d'armes Jasper Dean, réunissant des fonds destinés à l'enfance malheureuse. Les plus grands chefs s'étaient produits dans ce que les Londoniens considéraient comme le gymnase le plus chic du monde puisque le Royal Albert Hall accueillait aussi des manifestations sportives, dont des combats de boxe.

Les Dean étaient déjà installés dans leur loge. Lui avait bien un grand nez busqué et ne cessait de croiser et de décroiser les jambes. Elle était bien toute raide et pincée.

— Désolé de vous déranger, dit Higgins. J'appartiens à Scotland Yard.

— Encore cette insupportable affaire, déclara Ruth Dean d'une voix métallique. Quand cessera-t-on de nous importuner ?

— Quand faut y aller faut y aller, admit Jasper Dean de sa voix rauque et éraillée. Ça nous permettra d'échapper à cette musique barbante. On discute au bar ?

— Il y a des endroits moins vulgaires, mon cher, objecta-t-elle.

— C'est possible, mais j'ai soif.

Ruth Dean haussa les épaules sans perdre une once de sa raideur. A contrecœur, elle suivit les deux hommes mais ne prit aucune consommation. Jasper Dean commanda un whisky écossais, Higgins un café.

— Je n'ai pas l'intention de répondre à vos questions, inspecteur, annonça la femme du fabricant d'armes. Comme je l'ai dit à votre collègue le superintendant Marlow, un homme fort courtois, je n'ai rien vu et rien entendu. On m'a honteusement droguée. Je porterai plainte.

— Ça suffit, Ruth, intervint Jasper Dean. Tu oublies la mort de ce pauvre Francis.

Vexée par la remarque de son mari, Ruth Dean se drapa dans le silence. Jasper Dean trempa les lèvres dans son whisky.

— J'ai fait la guerre et j'y ai perdu un rein, inspecteur, mais pas le goût des bonnes choses. A condition de ne pas offenser Dieu et les saints. Jésus a demandé d'honorer les pauvres. Moi, j'obéis. Il faut aimer son prochain comme soi-même. Savez-

45

vous ce qui est vraiment important ? Faire entrer l'église anglicane dans le giron de l'église catholique. Ruth et moi, nous nous consacrons à cet idéal depuis plus de vingt ans. Nous dépensons sans compter. Et je ne tarderai pas à vous demander votre contribution !

— Permettez-moi de solliciter d'abord la vôtre, intervint Higgins. Le soir du meurtre, votre rôle semble avoir été différent de celui des autres invités.

La voix du fabricant d'armes devint plus rauque encore.

— Différent ? En quel sens ?

— N'êtes-vous pas le premier à vous être réveillé ?

— C'est vrai...

— Pourquoi vous êtes-vous dirigé vers le salon de musique ?

— Une impulsion incontrôlée... Francis nous avait donné rendez-vous là-bas. J'ai agi comme un somnambule. J'avais le sentiment d'être en retard. Stupide, non ?

Higgins vérifia ses notes.

— Comment avez-vous réagi en découvrant le cadavre de Sir Francis Bacon ?

Jasper Dean regarda sa femme, indifférente à l'entretien.

— Je ne sais pas... Je n'ai pas compris. Je n'ai vu que le manche de cette lance.

— Parce que vous veniez de la réparer.

— C'est vrai... Mais qui...

— De votre propre initiative ?

— Non. C'est Francis lui-même qui me l'avait demandé. Il tenait à ce que son club fût impeccable dans le moindre détail. Les armes en tout genre, ça me connaît. J'ai rajeuni cette vieillerie sans me douter de l'usage qu'on en ferait.

46

Le regard de Higgins se fit perçant.

— Pourquoi ne pas avoir parlé de ces détails au superintendant Marlow ?

Jasper Dean baissa la tête.

— J'ai oublié. Qui vous a révélé que j'avais...

— Vous prétendez que c'est la victime qui vous a demandé de réparer l'arme du crime. Avez-vous un témoin pour corroborer vos dires ?

Jasper Dean s'empourpra. Il haussa le ton.

— Ma parole ne vous suffit pas ? Un témoin... Bien sûr que non ! Francis m'accordait sa confiance depuis de nombreuses années. Je suis l'un des fondateurs du club. J'ai beaucoup de relations haut placées, inspecteur. Et j'ai horreur qu'on me cherche des poux dans la tête.

— Ne te mets pas en colère, recommanda Ruth Dean. C'est mauvais pour ta tension. Nous savons tous que tu n'as rien à te reprocher. Nous partons la semaine prochaine pour notre propriété des Cornouailles, inspecteur. Mon mari est un excellent marin et il a besoin de repos. N'espérez pas nous empêcher de quitter Londres.

Higgins, conciliant, tenta d'amadouer cette femme rugueuse, mais non dépourvue d'une certaine classe.

— Souhaitons que l'assassin soit identifié d'ici là, chère madame.

— Moi, je m'en lave les mains, dit Jasper Dean. A chacun son métier.

Il se tourna de côté pour absorber, dans un geste vif, des pilules vertes et roses. Il sentit poser sur lui le regard de l'homme du Yard.

— Des tranquillisants pour ma tension, expliqua-t-il.

— Après avoir ôté la lance, insista Higgins avec douceur, qu'avez-vous fait ?

Le fabricant d'armes rumina.

— Je n'en sais rien... C'était comme un brouillard. J'ai dû la lâcher... Je suis ressorti de ce maudit endroit, je me suis cogné dans le mur, je crois avoir descendu l'escalier... et puis être tombé dans les pommes. Par moments, j'avais l'impression de voler comme un oiseau... Voler, moi! Ridicule. Cette saloperie de somnifère m'a détraqué l'estomac. Quand je me suis réveillé pour de bon, j'ai vu la tête de mon copain Freddy Elope. Aussi brumeux que moi. Il m'a aidé à me mettre debout. On a aidé les autres, les femmes d'abord. Quelqu'un a crié... Eleonora Elope, je crois... Elle avait découvert le secrétaire assommé, dans le hall... Sue England a appelé la police, et voilà tout...

— Sue est toujours la première à tout faire, remarqua Ruth Dean, hautaine.

Higgins, dubitatif, lissa sa moustache poivre et sel.

— Vous paraissez soucieux, inspecteur! s'inquiéta Jasper Dean. Qu'est-ce qui ne va pas?

— Quand vous avez réparer la lance d'Athéna, vous en avez fait une arme dangereuse, n'est-ce pas?

— On ne peut pas dire le contraire... J'aime le beau travail. Vous auriez vu la pointe! Tellement affûtée qu'elle aurait pu transpercer n'importe quoi!

— Jasper!

Ruth Dean avait presque crié. Son mari s'aperçut soudain de l'énormité de ses déclarations. Son visage devint rouge de honte et sa voix s'érailla davantage.

— Je vais prendre un autre whisky.

— Pas après tes médicaments.

Higgins était intrigué par le comportement de l'épouse du fabricant d'armes. Elle ne bougeait presque pas, n'avait qu'une seule expression. Ses traits semblaient figés. Un terme lui vint à l'esprit pour la qualifier : une morte-vivante.

— Ce n'est quand même pas ma faute, se plaignit Jasper Dean, si on a utilisé la lance pour tuer Francis. Dieu n'accable pas les honnêtes gens. J'ai ma conscience pour moi et je sais qu'Il ne m'en veut pas.

— Vous êtes donc un homme comblé, conclut Higgins. Quels étaient vos rapports avec les autres invités de cette soirée, les Jenssens, les Elope et les England ?

Les époux Dean se regardèrent en coin, comme s'ils se contrôlaient mutuellement.

— Ce sont des amis de toujours, dit Jasper Dean.

— Spécialement les Jenssens, précisa Ruth Dean. Ernie Jenssens fait du bateau avec mon mari. Nous passons les vacances ensemble. Nous connaissons moins bien les Elope... Ce sont des gens discrets, effacés.

— Et les England ? demanda Higgins.

— Reginald-John England est un homme important et très occupé, indiqua Jasper Dean. Nous nous croisons, lors de réceptions mondaines, et...

— C'est surtout un parvenu qui tente maladroitement de s'imposer dans la haute société, expliqua Ruth Dean.

— Il a quand même beaucoup de qualités, rectifia Jasper Dean. Il est travailleur, il...

— C'est principalement sa femme, Sue, qui travaille... Lui, il est spécialisé dans les déjeuners et les dîners. On appelle cela... les relations commerciales, je crois.

Higgins aborda un autre sujet, ne souhaitant pas voir se développer une scène de ménage.

— A votre avis, Sir Francis Bacon détenait-il un secret susceptible de déclencher une haine meurtrière ?

— Sûrement pas, répondit aussitôt Jasper Dean. Il était franc comme l'or et entier comme un bloc de pierre. C'est un rôdeur qui l'a assassiné.

Ruth Dean avait détourné la tête.

— Et vous, madame ? interrogea l'ex-inspecteur-chef. Quelle est votre opinion ?

— Sir Francis était un homme exceptionnel. Trop exceptionnel, sans doute.

— Que voulez-vous dire, madame ?

— Rien de plus et rien de moins, inspecteur.

Jasper Dean avait les doigts crispés autour de son verre vide.

— Son secrétaire particulier, Christopher... Quel genre d'homme est-il ?

— Un excellent professionnel, jugea le fabriquant d'armes. Depuis qu'il gère le club. « Tradition » n'a pas connu la moindre faute de goût. Tout y est en ordre. C'est exactement l'homme qu'il fallait à Francis.

— Peut-être, nuança Ruth Dean.

— Rien de plus ? s'enquit Higgins.

Ruth Dean se contenta de garder les lèvres pincées. Jasper Dean se leva.

— Nous n'allons pas passer la journée ici... J'ai du travail à l'usine. Heureux de vous avoir connu, inspecteur. Venez, ma chère.

Higgins, qui avait délaissé son café à l'arôme artificiel, regarda s'éloigner les Dean. Lui, un peu voûté, pressé, gesticulant. Elle, froide, hautaine, presque absente. Ils n'avaient qu'un point commun : le mensonge par omission.

CHAPITRE VI

Higgins ne se souvenait plus du nom de l'écrivain qui avait évoqué l'air londonien en célébrant ses senteurs de tilleul et de tabac blond. Etait-ce le diplomate français Stendhal, qui avait apprécié les charmes du ferry-boat et les petites maisons garnies de rosiers de la capitale britannique ?

En ce dimanche d'hiver, Londres était la proie de l'humidité, du brouillard et de la grisaille. Dans les rues vides, de rares promeneurs munis de parapluies passaient devant des boutiques fermées. Les squares, déserts, n'étaient peuplés que de moineaux. Remplaçant la neige, une pluie fine tombait. La pluie anglaise était fidèle, durable, toujours au rendez-vous, abondante et indispensable aux pelouses : ces qualités rares justifiaient qu'elle fût appréciée à sa juste valeur.

Le taxi déposa Higgins au Square Saint James, près du palais du même nom. Là avaient longtemps résidé des aristocrates en odeur de sainteté à la cour, choisissant de luxueux hôtels particuliers. Celui où habitaient les England datait du XVIIIe siècle. Sa façade avait été dessinée en 1726 par Shepherd : une porte d'entrée encadrée de lourdes colonnes doriques, un premier étage dont les hautes

51

fenêtres à petits carreaux couronnées de triangles équilatéraux éclairaient l'appartement des maîtres, un second étage aux fenêtres étroites et carrées réservé aux domestiques.

L'endroit ne manquait pas de charme, échappant à l'agitation de la grande cité. Y régnaient un parfum d'antan, presque nostalgique, mais aussi un dédain quelque peu glacial destiné à écarter le petit peuple.

Un colosse empâté ouvrit la porte de l'hôtel particulier au dixième coup de sonnette.

— Vous voulez quoi ?

— Scotland Yard. Pourrais-je m'entretenir avec M. ou Mme England ?

— Ben... Faut voir. Ils finissent de manger.

— Voyez donc, mon ami.

— Une seconde.

Pendant que le domestique allait consulter ses patrons, Higgins découvrit le hall d'entrée de l'hôtel particulier. Les murs étaient couverts de cadres contenant des diplômes honorifiques, des médailles et des décorations, répartis de manière égale entre M. et Mme Reginald-John England : Premier prix de tir aux pigeons, Médaille d'or de la High School de Dorchester, Diplôme d'honneur du Rotary Club, Fil Rouge de la haute couture... La litanie semblait interminable.

— Vous pouvez venir, annonça le domestique. On vous attend.

En progressant vers la salle à manger, Higgins ressentit un malaise certain. Il se contenta d'observer sans en chercher la cause. Partout, des tableaux, des estampes, des dorures, des candélabres, des lustres, des armoires, des commodes.

Tout en longueur, aussi chargée que le reste de la demeure, la salle à manger était occupée par une trentaine de personnes, dont une dizaine d'enfants

52

et d'adolescents. A l'une des extrémités de la longue table, une femme d'une cinquantaine d'années à la chevelure d'un blond agressif et à la poitrine plutôt opulente. A l'autre, un homme paraissant plus âgé, bedonnant, portant une barbe grisonnante.

— Venez vous joindre à nous, inspecteur ! clama Reginald-John England d'une voix qui parut à Higgins légèrement forcée.

L'épouse du maître de maison apostropha vertement le domestique, lui reprochant d'avoir fait attendre un haut fonctionnaire de la police de Sa Majesté. Le colosse, la tête basse, se retira à l'office.

— Pardonnez-moi d'interrompre cette petite fête, Monsieur England.

— Ne vous excusez pas, inspecteur ! C'est un déjeuner de famille tout à fait ordinaire. Aujourd'hui, nous ne sommes pas très nombreux.

— J'aimerais mieux vous parler en particulier.

— Naturellement. Mes invités me pardonneront.

Monsieur et Madame England quittèrent la table et introduisirent l'ex-inspecteur-chef dans un salon meublé de la manière la plus conventionnelle. Les fauteuils, le tapis, la table basse se trouvaient dans la vitrine de n'importe quel marchand s'adressant à des gens sans imagination.

— Du thé, inspecteur ? proposa Sue England. J'ai le meilleur de tout Londres. Je le fais venir spécialement des Indes dans des caisses inscrites à mon nom.

— Ne vous donnez pas cette peine. Je viens de consommer une boisson chaude pendant mon entretien avec vos amis Dean.

Sue England, vêtue avec recherche d'une robe rouge assortie à ses escarpins, fit scintiller les bagues en diamant qu'elle portait à la main gauche.

— Des gens délicieux... Ruth Dean est un peu

terne et pincée, mais on ne peut pas demander à tout le monde d'être brillant.

Au revers de son veston, Reginald-John England arborait l'insigne du Rotary Club dont il était l'un des membres les plus éminents. Son épouse avait le cou orné d'une rivière de diamants qu'elle se plaisait à frotter de temps à autre entre le pouce et l'index.

— Que pensez-vous de la récente compétition de cricket, inspecteur ? Le temps était épouvantable, mais nos champions se sont illustrés d'une manière remarquable.

— J'ai fait mieux et dans des circonstances plus difficiles, indiqua England.

— Je n'en doute pas, assura Higgins, mais je dois vous importuner avec une affaire plus délicate.

— La mort de ce pauvre Francis, je parie ! triompha Sue England. Un homme si extraordinaire... Mais j'ai connu des crimes plus affreux encore. Dans ma famille, un cousin s'est fait étriper avec une faux. Vous rendez-vous compte ?

— C'est vous qui avez prévenu la police, Madame England.

— En effet, inspecteur. A certains moments, il faut agir. J'ai été droguée d'une manière scandaleuse. Quand je me suis réveillée, j'ai secoué tout le monde. Puis je suis sortie dans le hall. Je me suis heurtée à Jasper Dean qui vacillait encore sur ses jambes. J'ai vu ce malheureux Christopher couché par terre, assommé. Je l'ai relevé et j'ai appelé Scotland Yard. Un instant...

Sue England s'empara d'une sonnette, qu'elle agita énergiquement.

Apparut le domestique lourdaud.

— Je vous ai commandé du thé et des gâteaux. De qui vous moquez-vous ? Dépêchez-vous.

Le colosse s'exécuta avec promptitude. Sue

England fit elle-même le service. Elle remplit la tasse de Higgins de thé fumant.

— C'est un gâteau de mon invention, inspecteur. Il a été choisi par le cercle gourmet de Picadilly comme la meilleure recette de pâtisserie de l'année.

La chance servait Higgins. Tout près de lui, à sa gauche, une plante en pot. Il pourrait y verser le contenu de sa tasse avec discrétion.

— Et vous, Monsieur England ? Quels sont vos souvenirs de cette soirée ?

— Quelle tragédie, inspecteur... Mon témoignage, malheureusement, ne vous sera d'aucune utilité. J'ai bu le sherry, je me suis endormi et je me suis réveillé au petit matin. Francis ne méritait pas une fin aussi horrible... C'était un homme généreux, très fin, doté d'un tact à toute épreuve, toujours prêt à répondre aux sollicitations de ses amis... Un être d'exception.

— Monsieur Dean m'a confié avoir réparé la lance que tenait Athéna... L'avez-vous vu la rapporter ?

— Jasper portait un paquet, précisa Sue England. C'était bien la lance. Il l'a remise lui-même dans la main de la statue.

— Sans commentaires ?

— Sans commentaires. Qu'aurait-il pu dire ?

Higgins dégusta un morceau de pudding à la crème de concombre. Il le jugea un peu lourd.

— Vous dirigez une entreprise de transport, Monsieur England ?

— Exactement, inspecteur ! Désirez-vous voir une photo de mon usine ?

Réginald-John England sortit son portefeuille qui contenait en permanence des clichés de son usine et sa Rolls grenat. Higgins fut contraint d'admirer les bureaux, les quais, les entrepôts pris sous tous les angles. Il y avait même une prise de vue aérienne.

— L'entreprise, c'est l'homme, expliqua-t-il. La vie, c'est le mouvement. Moi, inspecteur, je me suis fait tout seul. J'ai conduit des camions. Quand je donne des ordres à mes gars, je sais de quoi je parle.

— Tu as eu le bonheur de me rencontrer, Reginald-John, rappela Sue England. Le fait que mon père ait été le fondateur et le premier propriétaire de l'entreprise n'est qu'un détail, bien sûr, mais sa fortune t'a été utile pour la développer.

Sue England, souriante, tourna la tête vers Higgins.

— Nous travaillons ensemble, inspecteur. Nous avons fondé dix sociétés commerciales. Reginald-John en préside cinq, j'en préside cinq. L'égalité entre homme et femme est essentielle, n'est-ce pas ?

— Certainement, admit Higgins, prudent.

Reginald-John England, énervé, utilisa une allumette en guise de cure-dents. Higgins remarqua qu'il avait de minuscules dents reliées entre elles par un fil d'argent. Il devait être un fidèle client des bourreaux à la fraise.

— Je n'ai pas de conseils à vous donner, inspecteur, mais à votre place, je saurais mener mon enquête.

Higgins considéra le transporteur avec attention.

— Je suis toujours avide de conseils, Monsieur England. Plus vite cette affaire sera résolue, plus vite je retournerai chez moi, à la campagne. Si vous connaissez le nom de l'assassin, donnez-le-moi. Nous gagnerons beaucoup de temps.

Le ton et l'attitude de Reginald-John England changèrent brutalement. Le vernis mondain se craquela. Le chef d'entreprise devint autoritaire et cassant.

— Je n'ai pas le sens de l'humour, inspecteur. Ce genre de plaisanterie ne m'amuse pas du tout. Votre style me déplaît souverainement. Ma porte vous est ouverte.

Sue England se leva.

— Nous allons plutôt ouvrir la fenêtre... J'ai trop chaud. Quant à vous, mon ami, recouvrez votre calme. On ne traite pas de cette manière un inspecteur-chef de Scotland Yard. Ce n'est pas l'un de vos employés.

L'épouse du transporteur s'exécuta, aspirant une grande bouffée d'air frais.

— Reginald-John et moi ne supportons pas la chaleur... Bientôt, nous partons pour l'Autriche. Pendant quinze jours, nous descendrons les pentes les plus difficiles. Si j'en avais eu le loisir, je serais devenue une très grande skieuse. Reprenez donc un peu de gâteau, inspecteur.

Sue England parlait fort. Trop fort. Ses puissantes intonations commençaient à donner la migraine à Higgins.

— Tu devrais faire attention, recommanda Reginald-John. Tu risques encore d'attraper une bronchite.

Sue England adressa un regard glacial à son mari.

— Au lieu de proférer des âneries, révèle ta fameuse hypothèse à l'inspecteur.

Après s'être à nouveau curé les dents, le transporteur obéit à sa femme.

— Eh bien, commença-t-il, j'ai acquis la certitude que...

Reginald-John England fut interrompu par un violent éternuement. Il utilisa un mouchoir à ses initiales.

— Ce n'est rien, commenta Sue England. Quand je souffre d'un rhume, c'est autre chose. Un vrai cataclysme. Notre hypothèse, inspecteur, c'est l'intervention d'un voleur. Aucun d'entre nous ne peut être mis en cause. Nos amis Elope sont des gens d'une moralité exemplaire. Les Dean jouissent d'une parfaite considération. Quand aux Jenssens, ils ont rendu tant de services à l'Angleterre qu'ils sont au-dessus de tout soupçon.

Un petit garçon d'une dizaine d'années fit irruption dans le salon, brandissant un pistolet.

— Pan ! Pan ! hurla-t-il en visant Higgins. Tu es mort !

Reginald-John England, furieux, gifla l'enfant.

— Sale garnement ! Je t'ai cent fois interdit de nous déranger... Retourne immédiatement dans ta chambre !

Pleurant à chaudes larmes, le petit battit en retraite.

Higgins ramassa le pistolet qu'il avait abandonné et le posa sur la table basse.

— Il ne faut jamais laisser traîner une arme, dit-il, même lorsqu'elle paraît inoffensive.

Sue England offrit son plus beau sourire à l'ex-inspecteur-chef.

— Vous êtes d'une rare élégance pour un policier... Moi qui crée les patrons de mes propres robes et qui connais le monde de la couture sur le bout des ongles, j'aimerais connaître le nom de votre tailleur.

— Trouser's, dans Regent Street.

— Une vieille maison très traditionnelle...

— Je ne suis plus un jeune homme, Madame England.

— Vous vous vieillissez, inspecteur !

Le transporteur grommela, jugeant que, pour une femme que d'aucuns auraient pu qualifier de froide dans l'intimité, son épouse se montrait un peu trop démonstrative vis-à-vis de cet enquêteur du Yard.

Des cris d'effroi, mêlés à des aboiements, provinrent de la salle à manger.

— Bon Dieu, jura Reginald-John. Encore cet abruti de chien ! Quelqu'un a dû le détacher... Je m'en occupe !

England bondit vers le lieu du drame.

— Mon mari a choisi chez l'éleveur un chien-loup un peu fou, expliqua Sue England. Dès que nous le détachons, il attrape les autres chiens et les enfants. Ils n'ont qu'à s'écarter ou faire attention, n'est-ce pas ?

La femme du transporteur regarda sa montre ornée de diamants.

— Mon Dieu ! J'avais oublié l'heure ! Je suis désolée, inspecteur, de ne pouvoir vous retenir plus longtemps... Reginald-John part pour son manège dans une demi-heure. Il monte un nouveau cheval. Je dois vérifier son équipement. Et demain, c'est le rallye du Rotary ! Avec sa passion des voitures, Reginald-John est le favori.

Higgins se leva. Par bonheur, Sue England n'avait pas remarqué que la tasse de l'ex-inspecteur-chef était toujours pleine.

— Je vous laisse à vos occupations... Une dernière question : que pensez-vous de Christopher, le secrétaire particulier de Sir Francis Bacon ?

Sue England fut surprise par la question.

— C'est un domestique... Reginald-John dit qu'il est très compétent. Un domestique... Voilà tout.

— Merci pour votre accueil, Madame England. Dans la mesure du possible, je tâcherai de ne plus vous importuner.

Dans le hall, Higgins croisa Reginald-John England qui tenait en laisse un chien-loup fort agité.

— Heureux de vous avoir connu, inspecteur. Peut-être nous reverrons-nous dans une fête de charité de la police ? Je suis un des donateurs les plus généreux.

— Je vous en félicite, Monsieur England. Voyez-vous souvent les amis qui étaient présents au club « Tradition » lors de cette soirée tragique ?

— Je rencontre assez fréquemment Freddy Elope, Ernie Jenssens et Jasper Dean... Nous dînons et nous parlons de choses et d'autres. Nos femmes sortent ensemble, elles vont au théâtre ou au concert. Voilà bien longtemps que nous nous fréquentons. Ce n'est pas un crime.

— Pas encore, Monsieur England, pas encore.

CHAPITRE VII

Soho sous la pluie, un dimanche d'hiver, n'avait rien de particulièrement attrayant. Le Cambridge Theater n'offrait plus que des pièces misérables et la Cambridge School, loin de mériter sa noble appellation, n'était qu'un pauvre petit immeuble de briques rouges noircies par les gaz d'échappement des automobiles. Les magasins vendant du vin et des spiritueux semblaient fermés, mais certains d'entre eux abritaient l'industrie des bookmakers qui ignoraient les week-ends. Dans Old Compton Street, une maison de jeux ouvrait ses portes à qui connaissait le mot de passe. Janus, magasin réputé à la vitrine fumée, proposait aux déséquilibrés de tout poil les instruments nécessaires pour satisfaire leurs pulsions.

Poland Street n'égayait pas le quartier. La maison des Jenssens était un pub réaménagé par ses nouveaux propriétaires. De la brique et du bois, une porte d'entrée protégée par un auvent que soutenaient deux colonnettes sans grâce, une fenêtre à guillotine sur laquelle était collée une affiche vantant les mérites de la bière brune, une grosse lanterne... Curieux ensemble surmonté de deux étages sans originalité.

61

Higgins s'essuya les pieds sur un épais paillasson et sonna.

La porte s'entrebâilla.

— Qui est-ce ?

— Scotland Yard. J'aimerais voir Monsieur et Madame Jenssens.

— Pour quelle raison ?

— Le meurtre de Sir Francis Bacon.

— Seigneur Dieu... Encore cette horreur. Restez là. Je vais chercher mon mari.

Les éclats d'une dispute parvinrent aux oreilles de Higgins. Des insultes fusèrent, parmi lesquelles revenaient le plus souvent les mots de « folle » et d' « hypocrite ». La tempête se calma. La porte s'ouvrit sur un vieillard aux cheveux blancs. Son teint était rougeaud. Sur ses joues, de nombreuses veinules avaient éclaté, laissant parfois des marques violettes.

— Ernie Jenssens, chirurgien de l'armée en retraite.

— Higgins, Scotland Yard.

— Entrez. Veuillez excuser ma femme... Elle est nerveuse. Ce drame l'a beaucoup marquée.

Ernie Jenssens avait la parole fort embarrassée. Les mots se bousculaient dans sa bouche, formant des phrases heurtées, parfois difficiles à comprendre. Higgins dut tendre l'oreille et se montrer très attentif pour ne rien perdre du discours du vieillard.

L'appartement des Jenssens n'avait rien de banal. Un long couloir obscur desservait plusieurs pièces dont les portes étaient ouvertes. Au passage, Higgins aperçut une salle d'opération pourvue d'un important matériel et une salle de jeux où trônait une cible pour fléchettes. Ernie Jenssens avançait lentement, en claudiquant.

— Une opération à la jambe... Des veines

malades, expliqua-t-il. Que pensez-vous de mes collections ?

Ernie Jenssens éclaira des vitrines contenant quantité d'instruments chirurgicaux anciens et des statuettes de terre cuite appartenant à la culture zapotèque. Elles représentaient des hommes à têtes de monstres, assis en tailleur, ouvrant une gueule béante. Entre leurs crocs menaçants passait une langue énorme.

— C'est beau, n'est-ce pas ? Je les ai achetés pendant un voyage au Mexique. Je n'étais que dentiste, à cette époque-là. Après, je suis devenu chirurgien. Une longue carrière au service de mes prochains. Aimez-vous les fléchettes ?

— Modérément, avoua Higgins.

— Vous avez tort. J'ai les plus belles collections de jeux de fléchettes. C'est un sport excellent pour les nerfs.

Ernie Jenssens détacha de sa pochette une épingle avec laquelle il tapota l'angle d'une vitrine.

— Regardez ce monstre-là... On croirait qu'il va nous dévorer. Curieux, non ?

— Un art féroce pour le moins.

— Comme la vie, inspecteur, observa le chirurgien, piquant l'épingle dans sa pochette. N'a-t-elle pas été cruelle avec Francis ? Mourir assassiné... Quoi de plus horrible ?

— C'est pourquoi le devoir du Yard est d'identifier le coupable.

— Il y a tellement de crimes impunis... Et celui-là est si mystérieux. Un voleur, d'après les journaux.

— Peut-être, Monsieur Jenssens.

— En ce cas, ce ne sera pas facile de mettre la main dessus... Vous prendrez bien un whisky ? Avec ce temps de chien, il n'y a que ça pour garder le moral.

— Sans vouloir vous offenser, je préfère ne rien boire.

Ernie Jenssens regarda Higgins en levant le menton, comme s'il s'adressait à un inférieur.

— Ah! vous avez des principes! La police à l'ancienne... Bah! Ça ne me déplaît pas. Les jeunes ne comprennent plus rien à rien, de nos jours. Un vieux bonhomme comme moi est à peine respecté, malgré toute son expérience. Triste époque.

Le living-room de Jenssens était d'une banalité fort bourgeoise en regard du reste de l'appartement. Se tenait là une petite femme vêtue d'un tailleur marron, les mains crispées à la hauteur du nombril. Cheveux auburn, nez épaté, pommettes saillantes, elle guettait l'ex-inspecteur-chef comme un chasseur sa proie.

— Je vous présente mon épouse Hanna, marmonna Ernie Jenssens. Ménagez-la. Comme moi, c'est une personne hypersensible. Asseyez-vous sur le canapé... Non, pas à gauche, c'est ma place... Au bout à droite, c'est ça.

Higgins obéit, comprenant qu'il valait mieux ne pas déranger le moindre objet, qu'il s'agisse d'un gros vase bleu contenant des fleurs artificielles ou d'un plat décoré d'une représentation de la Sainte Famille.

— J'ai du brandy dont vous apprécierez la douceur, proposa Ernie Jenssens.

Higgins refusa de nouveau, prétextant qu'il avait déjà consommé beaucoup d'alcool depuis le début de la journée. Ernie Jenssens se servit. Hanna Jenssens était toujours debout, immobile, observant l'homme du Yard.

— Mets-nous un peu de musique, Hanna... Ça te détendra les nerfs.

L'épouse du chirurgien, sans quitter Higgins des yeux, mit en marche un tourne-disques. Résonnè-

64

rent les premières mesures de l'ouverture des *Maîtres Chanteurs* de Wagner.

— Ma femme aime beaucoup la musique. Je l'envoie... Elle va souvent au concert. Viens t'asseoir, ma chérie. Je suis certain que M. Higgins n'est pas un méchant inspecteur.

Hanna s'exécuta, non sans avoir heurté au passage l'accoudoir d'un fauteuil.

— Tu devrais porter tes lunettes en permanence, rappela son mari. Ce n'est pas un crime d'être myope.

— Le monde est méchant, déclara-t-elle d'une petite voix aiguë. On ne se méfie jamais assez des gens.

— Tu exagères, Hanna ! Il faut savoir faire confiance... Notre vieil ami Francis était la bonté même. Il ne nous a jamais fait de mal.

Hanna Jenssens se rétracta.

— Il n'était pas toujours d'accord avec moi... Une fois, il m'a laissé entendre qu'il n'appréciait pas Wagner. Une autre fois, il m'a conseillé de changer de couleur de robe. Comme si je ne savais pas ce qui me convient le mieux... Sir Francis était gentil, mais il n'avait ni goût ni délicatesse. Et je suis persuadée qu'il ne m'aimait pas beaucoup.

— Allons, Hanna ! Tu dis des bêtises. Francis était comme moi : il aimait tout le monde.

— Tout le monde peut-être, mais pas moi. Tu n'aurais pas dû aller aussi souvent dans ce club. Tu y perdais ton temps.

— Voyons, Hanna ! C'était important de se rencontrer entre amis, de...

— Des amis, pfff ! siffla l'épouse du chirurgien, s'animant d'une passion inattendue. Jasper est gentil, mais il ne s'occupe pas assez de moi. Reginald-John ne s'intéresse qu'à ses camions et à ses grosses voitures. Il ne m'a pas adressé la parole depuis des mois. Heureusement, il y a mon amie Ruth. Je passe de bonnes vacances avec elle, pendant que tu vas pêcher avec Jasper. Ce n'est pas comme cette prétentieuse de Sue England... Vous connaissez sa dernière lubie ? Elle se prend pour une architecte ! Elle a redessiné les plans de son hôtel particulier... Si vous connaissiez sa salle à manger ! Une horreur tout en longueur et très étroite, aussi mal proportionnée que possible... Elle continue à se prendre pour une grande couturière et à souffrir des plus graves bronchites du monde !

Ernie Jenssens offrit à son épouse un verre de sirop de fraise.

— N'exagère pas, ma chérie. Sue England n'est pas si méchante que ça. Elle ne te veut aucun mal. Elle est un peu excessive, parfois, mais c'est une vraie amie.

Higgins prenait des notes. Bien qu'il se sentît plutôt mal à l'aise dans ce cadre étriqué, il appréciait l'effort accompli par les Jenssens. Procédant à leur propre interrogatoire mutuel, ils lui avaient procuré de nombreux renseignements sans qu'il ait eu à poser la moindre question. Les enquêtes avaient parfois du bon.

— A quel moment êtes-vous arrivés au club, le soir du crime ? demanda-t-il.

— Peu après onze heures, répondit Ernie Jenssens. Nous étions les derniers... Les Elope étaient arrivés les premiers, pour une fois ! Ça avait amusé les England.

— Jasper Dean ne portait-il pas un paquet ?

— On me l'a dit... Mais je n'y ai pas prêté attention.

— Et vous, madame Jenssens ?

— Pfff... Comme si je m'occupais des affaires d'autrui ! Jasper apporte ce qu'il veut.

— Ignorez-vous, l'un et l'autre, de quelle manière Sir Francis a été assassiné ?

— Je t'interdis d'évoquer ces horreurs, Ernie ! intervint sèchement Hanna Jenssens. Ce serait offenser le Seigneur.

Le chirurgien passa outre.

— Jasper nous a dit que Francis avait été poignardé... Il n'en sait pas davantage.

Hanna Jenssens s'était bouché les oreilles.

— Il faut pardonner à ma femme, inspecteur. Elle est tellement sensible...

— Il me semble l'avoir déjà noté, Monsieur Jenssens.

— Quelle terrible soirée, inspecteur... Nous devions fêter la réussite du club avec Francis et nos épouses et voici que la mort a frappé de manière aveugle. Vous retrouverez l'assassin, n'est-ce pas ? Hélas ! Cela ne nous rendra pas Francis. J'étais si heureux en buvant cet excellent sherry... A peine avais-je terminé mon verre que je me suis endormi. A mon réveil, j'ai tout de suite pensé à Hanna. Elle était encore endormie. C'est Jasper qui nous a appris le décès de Francis... La police nous a interrogés, fouillés... Ce furent des épreuves affreuses. A présent, nous ne pouvons qu'avoir des regrets.

— Non, Ernie, intervint à nouveau Hanna Jenssens qui avait posé les mains à plat sur ses genoux. A présent, nous devons prier pour l'âme des trépassés. Le mal rôde. Il est partout.

Higgins laissa passer quelques secondes de silence.

— Vous et vos amis étiez membres fondateurs du club, n'est-ce pas ?

— En effet, répondit Ernie Jenssens. Du moins dans sa nouvelle formule, au moment où Francis en est devenu l'animateur et le propriétaire.

67

— Que va devenir « Tradition » ?

— Il continuera à vivre, bien entendu...

— Sous quelle responsabilité ?

— Nous autres, fondateurs, sommes les compagnons de route et les héritiers spirituels de Francis. Nous assumons l'intérim. Un homme comme Reginald-Jonh England est tout à fait capable de présider aux destinées du club. Sa modestie lui interdit de se poser en candidat mais je saurai le convaincre.

Entre la musique de Wagner et l'élocution pénible d'Ernie Jenssens, Higgins devait exercer une concentration de chaque instant, sous le regard soupçonneux de la femme du chirurgien.

— Le club avait-il des difficultés financières ?

— Pas du tout, inspecteur ! Bien au contraire, « Tradition » était devenu une véritable institution.

— Le secrétaire particulier de Lord Francis semble avoir joué un rôle décisif dans l'essor du club.

Les Jenssens eurent une même moue dégoûtée.

— Je n'apprécie pas ce garçon, déclara Hanna Jenssens. Il n'a aucune religion.

— Je ne voudrais pas être médisant, ajouta Ernie Jenssens, mais je me demande s'il n'est pas juif... Les Juifs sont la cause du malheur des nations, inspecteur ! Ne l'oublions jamais... Francis aurait dû être plus prudent dans ses choix. Enfin, le mal est fait. Ce Christopher est au courant de tout. Francis lui avait confié l'essentiel de la gestion. Il est ambitieux et intrigant.

Higgins parla à voix basse.

— Soupçonneriez-vous Christopher... de meurtre ?

Le chirurgien porta la main droite à son cœur.

— Inspecteur ! Comment... Hanna, mes pilules !

Elle se précipita vers un buffet aux formes lourdes, non sans avoir heurté au passage le même accoudoir de fauteuil, en ouvrit les portes, y prit une boîte contenant des pilules roses et la présenta à son mari qui en avala deux.

Higgins attendit patiemment que le chirurgien eût retrouvé une respiration normale. Hanna Jenssens lui avait posé sur le front un gant de toilette imbibé d'eau de Cologne.

— Ne me causez plus de pareilles émotions, inspecteur... Elles pourraient me faire mourir. Jamais je n'ai nui à autrui... Jamais je n'ai eu une pensée désobligeante pour Christopher.

— Tant pis pour toi, dit Hanna Jenssens. Moi, je ne m'en prive pas.

— Je suis parfois obligé d'être brutal, déplora Higgins. Il n'est pas facile de cheminer vers la vérité. N'auriez-vous pas remarqué un détail insolite pendant cette soirée ?

— Non, répondit Ernie Jenssens. Sinon, je vous l'aurais dit.

— Si, répondit Hanna Jenssens. Ernie regardait de beaucoup trop près Sue England. Il a toujours été fasciné par les blondes.

— Hanna ! N'importune pas l'inspecteur ! Ce gant de toilette est sec... Va l'imprégner d'eau de Cologne !

— Pfff...

Hanna Jenssens fit semblant d'obéir. Prudente, elle chemina entre les meubles.

— Ici, c'est elle qui commande, avoua le chirurgien. Elle me fera payer cher mon excès d'humeur. Je suis trop sensible, inspecteur.

— Chacun son lot d'infortunes, constata Higgins en se levant. Merci pour votre collaboration, Monsieur Jenssens.

— Y aura-t-il... d'autres interrogatoires ?

L'ex-inspecteur-chef se frotta le lobe de l'oreille droite.

— Pourquoi vous ennuierais-je à nouveau si vous ne m'avez rien caché ?

— Bien sûr... C'est l'un des traits les plus marquants de mon caractère : la franchise. C'est comme lors d'une opération : il faut que les choses soient nettes.

— Voilà qui réjouit le cœur d'un homme du Yard, Monsieur Jenssens. Soignez-vous bien et ne m'en veuillez pas trop pour cette émotion...

— C'est déjà oublié, inspecteur. Ma maison vous est ouverte. J'aurai plaisir à bavarder avec vous. Et ne jugez pas mal ma pauvre épouse : elle est tellement sensible !

L'air du dehors parut exquis à l'ex-inspecteur-chef. Une petite voix, dans les ténèbres de sa conscience, lui susurrait qu'il fallait aller vite, très vite, pour résoudre cette énigme. D'ici quelques jours, les témoins du drame se disperseraient, emportant sans doute avec eux la clé du mystère. L'un d'eux avait forcément noté un détail, même de manière inconsciente, qui conduirait sur la bonne piste.

Même si diverses hypothèses lui venaient déjà à l'esprit, Higgins refusa d'en prendre aucune en considération. Les raisonnements inexacts s'élaboraient toujours à partir d'informations insuffisantes. De trop nombreux points demeuraient obscurs pour élaborer une théorie.

C'est en hélant un nouveau taxi pour se rendre chez les Elope que l'ex-inspecteur-chef subit le premier assaut de la grippe londonienne. Un frisson lui parcourut le dos. Sa respiration se fit plus courte. D'insupportables picotements agressèrent ses narines.

L'inévitable se produisit.

Il éternua.

Sans perdre son sang-froid, Higgins absorba des granules d'Influenza de chez Nelson's qui, chaque année, modifiait le produit en fonction des invasions microbiennes venant d'Asie ou d'Afrique. A chaque fois qu'il quittait le Gloucestershire pour la capitale, l'ex-inspecteur-chef était victime de la pollution.

Il n'avait malheureusement pas le loisir de pleurer sur lui-même.

Il devait continuer à rassembler les pièces d'un puzzle dont il ignorait encore le motif.

CHAPITRE VIII

Kensington Church Street était un paradis pour les amateurs de vieilles horloges, d'armes de collection ou de cartes anciennes. Les Elope habitaient dans un immeuble banal jouxtant le fameux *Children's Book Centre* qui se vantait de posséder la totalité des livres d'enfants. Higgins passa devant sa façade peu esthétique et monta à pied jusqu'au troisième étage. L'effort était un moyen essentiel pour lutter contre la grippe.

Ce fut un petit homme moustachu, les épaules étroites, une cigarette aux lèvres, qui lui ouvrit la porte.

— M. Freddy Elope, je présume ? Higgins, Scotland Yard. Puis-je entrer ?

— Je vous en prie ! répondit une voix grave de femme, plutôt joyeuse.

Freddy Elope s'effaça. Une petite brune, vêtue avec simplicité, serra la main de l'ex-inspecteur-chef. Elle aussi avait la cigarette aux lèvres.

— Je suis Eleonora Elope. Vous tombez bien, inspecteur. J'ai préparé un cake à l'anis et des *muffins* (1). Arrosés d'un *ginger ale* ou d'un gin et

_____
(1) Sortes de galettes.

73

vermouth, ils devraient être délicieux. Asseyez-vous. Je vous sers.

Le living-room des Elope, imprégné de l'odeur du tabac, était éclairé de deux fenêtres au sommet arrondi. Devant une cheminée en marbre blanc, deux fauteuils rouges. Derrière l'un d'eux, une plante verte grimpant jusqu'au plafond. Un peu plus loin, une table basse et un canapé à trois places, également de couleur rouge. Le parquet était en partie couvert d'un tapis aux motifs floraux. Dans un angle de la pièce, un petit bureau et un fauteuil recouvert de cuir vert. Aux murs, quatre tableaux du XIXe siècle évoquant les saisons.

Eleonora Elope alluma une cigarette à celle qu'elle avait déjà entre les lèvres. Elle tendit le paquet à son mari.

— Vous venez nous interroger sur l'assassinat de Sir Francis, n'est-ce pas ? Quelle horrible tragédie... Je n'en suis pas encore remise. Freddy et moi nous faisions une joie de participer à cette fête en l'honneur du club. *Ginger ale* ou gin et vermouth ?

Higgins déclina l'offre, expliquant que son foie ne supporterait pas une goutte d'alcool de plus. Afin de mieux combattre une montée de fièvre, il dégusta un *muffin*, ce qui déclencha un sourire de satisfaction chez son hôtesse.

— Ce soir-là, raconta-t-elle, nous avons été drogués. Pourtant, le sherry n'avait aucun goût particulier. Et nos maris avaient l'habitude d'en boire lors de leurs réunions au club. C'est la vérité, chéri ?

Freddy Elope, qui regardait la cheminée, opina du chef.

— Il n'avait aucun goût spécial et m'a semblé excellent, poursuivit Eleonora Elope de son étrange voix rauque, sans doute due à l'abus de tabac. Pourtant, j'ai eu sommeil presque aussitôt après avoir bu. Freddy aussi. Je l'ai pris par la main et nous nous sommes affalés ensemble, incapables de réagir. Après, il y eut un trou noir. Quand je me suis réveillé, j'ai vu Jasper Dean vaciller, j'ai eu envie de l'aider. Sans y voir bien clair, j'ai réussi à le soutenir. Il est quand même tombé... dans un fauteuil ! Je l'ai doucement giflé, il est revenu à lui. Je ne savais plus très bien où je me trouvais... J'ai fait quelques pas dans le hall et là, j'ai crié en voyant le corps inerte de Christopher. Les autres sont arrivés. Jasper nous a demandé de ne pas entrer dans le salon de musique. Il réussissait à peine à parler. On a appelé Scotland Yard, la police est venue, un inspecteur nous a appris que Sir Francis avait été assassiné. Je n'ai rien oublié, Freddy ?

Freddy Elopa secoua la tête de gauche à droite.

— Connaissez-vous les circonstances exactes du crime ? interrogea Higgins.

— Non, répondit-elle. Jasper a laissé entendre que Sir Francis a été poignardé.

— M. Dean n'avait-il pas apporté un paquet ?

Eleonora Elope réfléchit.

— Ah oui... Il contenait la lance de la statue d'Athéna. Il était heureux d'avoir pu la réparer et l'a replacée lui-même dans la main de la déesse. Mais alors.

Epouvantée, Eleonora Elope porta les deux mains à sa bouche.

— Mais alors... Vous voulez dire que Jasper...

— Pas de conclusions hâtives, recommanda Higgins. Je recueille simplement des témoignages. Sachez que je n'ai aucun a priori et que je n'accuse personne... Pour le moment.

Très émue, Eleonora Elope écrasa sa cigarette et en alluma une autre.

— Qui a appelé la police ?

— Reginald-John England... Ou son épouse... Oui, c'est bien Sue.

— Pourquoi en êtes-vous si sûre, madame Elope ?

— Parce que Reginald-John a éternué. Le bruit a réveillé Freddy, je m'en souviens. Sue était au téléphone à ce moment-là. De toute manière, ce ne pouvait être qu'elle...

— Pourquoi donc ?

— J'ai été pendant plusieurs années la secrétaire de Sue England, révéla Eleonora Elope. Ce n'était pas tous les jours le paradis. Elle criait si fort que les fenêtres du bureau en tremblaient. C'est une femme curieuse... Son ambition est sans limites. Ou plutôt non... Elle en a une : rivaliser avec son mari. Reginald-John. Tout ce qu'il fait, elle le fait aussi. Il est monsieur le président, elle est madame la présidente. Ce sont peut-être les circonstances de sa naissance qui expliquent son caractère. Elle est née avant terme, pas tout à fait terminée. Elle a toujours prétendu être la première, en savoir plus que tout le monde sur n'importe quel sujet... Quand elle a échoué à un concours pour devenir professeur, à Oxford, ses proches ont redouté le pire. Le vrai patron des transports England, c'est elle. Elle décide. Reginald-John exécute. Il est parfait pour vendre les services de l'entreprise dans les déjeuners d'affaire pendant que Sue s'occupe des finances. Elle a une énergie fabuleuse... Mais elle craque de temps en temps. J'étais là pour ramasser les pots cassés en attendant qu'elle revienne au bureau.

— Pourquoi avez-vous quitté votre poste de secrétaire ?

— Je n'en pouvais plus, inspecteur. Sue est une femme épuisante... Elle vous vide de votre énergie. C'est un incident idiot qui m'a décidée. Un incident dans lequel elle ne portait apparemment aucune part de responsabilité. Freddy et moi, l'été dernier, avions été invités dans leur maison de campagne, au sud de Londres. Nous avions déjeuné sur leur terrasse. Après le café, j'ai eu envie de me promener dans le jardin. Je me suis arrêtée devant une rangée de framboisiers. A l'instant précis où je cueillais une framboise, Reginald-John a couru vers moi. Il m'a violemment sermonnée, m'accusant de détruire son domaine et de le piller. Sue n'a pas pris ma défense.... Je sais bien qu'elle est assommée par la chaleur, mais quand même... J'ai été très déçue.

— Vous êtes donc en froid avec les England ?

— Pas du tout ! La semaine prochaine, nous partons skier avec eux. Freddy a besoin de vacances. Il s'entend bien avec Reginald-John. Quand il n'est pas en famille pour y jouer le rôle du patriarche que tous doivent vénérer, ce dernier essaye de se montrer agréable avec ses amis. Moi, je ferai contre mauvaise fortune bon cœur. J'ai l'habitude. Un peu de gâteau ?

— Merci, non. Il est excellent.

Sans l'odeur de tabac qui agressait ses narines, Higgins aurait jugé plutôt douillet l'intérieur des Elope. Un confort bourgeois, certes, mais une certaine tranquillité propice au bonheur.

— Admiriez-vous Sir Francis, Madame Elope ?

— Il était admirable, inspecteur. Un homme formidable.

— Et vous, Monsieur Elope ?

Freddy Elope hocha la tête d'avant en arrière.

— Etes-vous aussi liés avec les Dean et les Jenssens ?

— Freddy connaît très bien Jasper et Ernie. Avec Reginald-John, ils se fréquentent au club depuis de nombreuses années. Ils ont été les membres fondateurs quand Sir Francis l'a repris en main pour en faire l'un des hauts lieux de la bonne société londonienne.. Quant à moi, je suis surtout l'amie de Sue England... Ruth et Hanna sont plus âgées que nous. Elles sortent volontiers ensemble. Ruth est une personne distinguée, d'un abord assez difficile. Hanna a ses passions et ses lubies.

Freddy Elope se leva pour mettre une bûche dans le feu.

— Vous n'avez pas d'enfant, madame ?

Eleonora Elope se troubla, jeta sa cigarette à demi consumée et en alluma une autre.

— Non... Non, je n'ai pas d'enfant. Je n'ai pas eu cette chance.

— Et vos amis ?

— Les Dean et les Jenssens ont eu respectivement un garçon et une fille. Ils sont mariés, aujourd'hui, et ont fait carrière à l'étranger. Les England ont un jeune fils de douze ans, Andrew. Reginald-John est fasciné par lui. Andrew est né coiffé. Il jouira d'un gros héritage. Même si l'argent ne fait pas le bonheur, il y contribue beaucoup...

La gaieté naturelle d'Eleonora Elope s'était estompée.

— Monsieur Elope, questionna Higgins, vous exercez bien la profession de chimiste ?

— Oui.

— Dans une entreprise multinationale ?

— Oui.

— Avez-vous un témoignage particulier à me fournir sur le drame ?

— Non.

— Que pensez-vous de Christopher ?

— Rien.

— Et vous, madame ?

— Un charmant garçon. Chacun s'accorde à reconnaître ses compétences. Il ne sort presque jamais du club, tant il travaille. Sir Francis l'avait bien choisi.

Higgins consulta ses notes.

— Une affaire mystérieuse, ne pensez-vous pas ?

— Ne s'agit-il pas de l'acte insensé d'un voleur ? Avança Eleonora Elope. Qui d'autre aurait pu vouloir attenter à la vie d'un homme comme Sir Francis ?

— Qui d'autre, répéta Higgins, qui d'autre, en effet... Vos *muffins* sont remarquables, madame Elope. Je ne crois pas en avoir jamais dégusté de meilleurs. Pardonnez mon intrusion. Je ne vous dérangerai pas plus longtemps. A propos... Etes-vous bien arrivés au club les premiers ?

— Oui, inspecteur. Nous étions en avance, pour une fois. Les Dean et les England nous ont suivi de peu. Les Jenssens sont arrivés les derniers.

Higgins se leva. Eleonora Elope l'imita. Son mari demeura assis, contemplant la cheminée.

— Je crains de ne pas vous avoir été très utile, inspecteur. Je vous raccompagne.

Juste avant de franchir le seuil, Higgins ne résista pas à l'envie de poser une dernière question à l'épouse du chimiste.

— Votre mari est-il toujours aussi peu loquace ?

— Peu loquace ? Je ne comprends pas ce que vous voulez dire.

— C'est sans importance. Passez une bonne soirée.

Higgins n'était pas satisfait.

Il aurait pu poser d'autres questions, certes, et mener les interrogatoires de manière différente. Mais ce n'était pas l'essentiel. Il avait accumulé quantité d'informations... sans fil conducteur. Il avait le sentiment très net d'avoir été manipulé, conduit dans une certaine direction pour aboutir à certains résultats.

Cela l'irritait au plus haut point, d'autant plus qu'il ne disposait pas encore de moyens suffisants pour contre-attaquer. Quelle stratégie mettre au point ?

L'ex-inspecteur-chef n'était pas au terme de son marathon dominical. Après avoir marché quelques minutes dans Kensington Road, il héla son cinquième taxi de la journée afin de retourner dans le quartier de Mayfair. Pour progresser, il avait une tâche urgente à accomplir.

La figure de Sir Francis Bacon l'intéressait de plus en plus. Le propriétaire du club « Tradition » était admiré par tous, à l'exception d'Hanna Jenssens dont les critiques demeuraient superficielles. Et pourtant, cet homme adulé, aux qualités reconnues par des individus très divers, avait été victime d'une haine féroce comme en témoignait la brutalité de sa mort.

Pourquoi l'avait-on tué ? Higgins n'avait pas encore le moindre élément de réponse. S'il s'agissait d'un voleur, comme semblait le prouver le désordre du salon de musique, pourquoi ce dernier s'était-il comporté avec autant de sauvagerie ?

L'ex-inspecteur-chef se fit déposer au 181 Piccadilly devant Fortnum and Mason, fournisseur de Sa Majesté. Au rez-de-chaussée, il fut accueilli par un vendeur en jaquette et pantalon rayé.

— Heureux de votre visite, monsieur. Puis-je vous aider ?

Higgins vit avec satisfaction que l'épicerie fine de Fortnum and Mason était toujours aussi bien achalandée. Les produits les plus exquis et les plus raffinés, du whisky pur malt aux fruits exotiques confits, étaient présentés dans des corbeilles en osier sous la lumière délicate provenant de lustres en cristal.

— Je voudrais du thé, répondit Higgins.

CHAPITRE IX

Quand la clocharde de Bloomsbury vit se diriger vers elle l'inspecteur avec lequel elle avait discuté le matin même, elle pensa que ses ennuis n'étaient pas terminés. Elle regretta de lui avoir adressé la parole. Se lier avec ce genre de type, c'était forcément accumuler des nuages au-dessus de sa tête. Pour paraître décontractée, elle entonna une vieille chanson paillarde avec un accent des faubourgs. Ce genre de musique devrait faire fuir l'homme du Yard.

Higgins en avait entendu d'autres. Il résista vaillamment à une kyrielle de notes forcées, saupoudrée d'une assez exceptionnelle vulgarité de langage. Les pires choses ayant une fin, la clocharde s'essouffla. Le silence revenu dans Bloomsbury, en ce début de soirée salué par une averse de neige fondue, l'ex-inspecteur-chef offrit à son interlocutrice un paquet rectangulaire enveloppé dans un papier doré portant la marque de Fortnum and Mason.

— Voici ce que je vous avais promis, chère madame. Du Darjeeling extra, récolté au pied de l'Himalaya. Parmi les connaiseurs, certains prétendent qu'il s'agit du meilleur thé du monde.

Les yeux de la clocharde parurent sur le point de

sortir de leurs orbites. L'une de ses mains jaillit de l'enchevêtrement des chiffons et agrippa le paquet avec vivacité. Elle serra le Darjeeling sur son cœur.

— C'est pas vrai... C'est pas possible...

— Puisque je suis un peu le bon Dieu, proposa Higgins, nous pourrions échanger des confidences. J'ai rencontré les quatre couples que vous avez vus entrer au club, le soir du crime... Vous les aviez parfaitement décrits.

— Je ne suis pas n'importe qui, inspecteur. Je n'appartiens pas à la haute, mais je sais voir. Si tout le monde avait bon pied bon œil comme moi, il y aurait moins de misère sur cette damnée de terre.

Se promettant de méditer sur cette pensée à une heure perdue, Higgins, mains croisées derrière le dos se concentra.

— Chère madame, soyez assez aimable pour bien réfléchir avant de me répondre. Pendant la journée du crime, avez-vous vu quelqu'un s'introduire, d'une façon ou d'une autre, dans les locaux du club « Tradition » ?

— Pas besoin de réfléchir, inspecteur. C'est non. Je n'ai pas quitté mon poste une seconde, cette journée-là. Trop de travail pour coudre mes chiffons.

De l'endroit où elle était placée, la clocharde, à supposer qu'elle fût attentive, ne pouvait manquer le moindre visiteur. Il restait cependant une possibilité.

— Sur le flanc gauche de l'hôtel particulier, il y a une minuscule ruelle sur laquelle s'ouvrent certaines fenêtres du club, observa Higgins. N'y aurait-il pas...

— Ne vous fatiguez pas, inspecteur ! l'interrompit la clocharde. Vous voulez savoir s'il faut mettre le crime sur le dos d'un voleur ? Laissez tomber. A part les gens que j'ai décrits, personne n'est entré.

Le mauvais coup du rôdeur, ça ne tient pas... Il vous faudra trouver mieux. Ou alors, le coupable est l'homme invisible !

— Allez savoir, dit Higgins, pensif. Votre témoignage a été précieux.

— Pas tant que mon thé... Je n'oublierai pas.

— Que le sort vous soit favorable, dit Higgins en s'éloignant.

***

— Rien de rien, Higgins, fulmina Scott Marlow, nous n'avons rien trouvé... Pas un indice, pas une piste, pas la moindre petite chose qui pourrait nous aider à comprendre ce qui s'est passé... Si j'avais appris le latin, Higgins, je l'aurais perdu.

— Calmez-vous, superintendant. Vous avez eu une journée chargée, moi aussi. Nous devrions faire le point.

— Il sera vite fait... Nous n'avons rien à nous mettre sous la dent.

Le superintendant s'affala dans un fauteuil de la bibliothèque du club.

— Le cabinet du Premier ministre m'a appelé, révéla-t-il. Rien d'officiel, bien entendu. On exige de moi des résultats rapides et indiscutables. La disparition de Sir Francis Bacon est une sorte de catastrophe nationale. Scotland Yard n'a pas le droit d'échouer. Et moi non plus. Je crains que l'hypothèse du rôdeur ne soit pas suffisante...

Higgins était sincèrement peiné de voir son collègue en proie au désespoir. Il se sentit un peu responsable de sa carrière. Que Marlow, qui avait rendu tant de services au Yard, fût l'objet de sanctions sans avoir démérité, constituait une injustice inacceptable.

— Ne sombrons pas dans le pessimisme, recommanda l'ex-inspecteur-chef.

— Il faudrait un miracle !

— Le ciel a souvent aidé le Yard, mon cher Marlow.

Un bobby entra, porteur d'un pli qu'il remit à Scott Marlow.

— De la part du laboratoire, superintendant. Confidentiel et urgent.

Scott Marlow décacheta avec impatience. Sa lecture l'emplit de joie.

— Etonnant. Vous êtes un vrai thaumaturge, Higgins ! C'est bien un miracle ! Le labo nous fournit enfin une piste sérieuse.

— L'arme du crime ?

— Exactement. Il y a des empreintes. Celles de Jasper Dean. Et rien que celles-là...

— Je ne voudrais pas vous décevoir, superintendant, mais ce n'est pas tout à fait anormal. D'après les témoignages des autres invités, c'est lui qui a réparé la lance d'Athéna. Il l'a rapportée le soir même du crime sans faire mystère de son travail.

Scott Marlow ne fut pas ébranlé par l'argumentation de Higgins.

— Cela fait beaucoup de coïncidences... C'est Jasper Dean qui aiguise l'arme du crime, c'est lui qui l'apporte au club, c'est lui qui pénètre le premier sur le lieu du meurtre, c'est lui qui ôte la lance plantée dans le dos du cadavre... Un naïf, un malchanceux ou un assassin d'une habileté diabolique ? En tout cas, je tiens un bon suspect.

— Le problème mérite d'être posé. Le mieux est d'en discuter devant un bon repas. Je vous invite à dîner.

86

C'est un Scott Marlow tout ragaillardi qui, aux côtés de Higgins, pénétra dans la salle à manger du *Ritz*. La sophistication et le luxe triomphant de l'endroit impressionnèrent le superintendant. Non loin du palais St James, le *Ritz* demeurait l'un des cadres les plus chics de la capitale, résistant délibérément au progrès et à la barbarie pour conserver les traditions.

Un maître d'hôtel en smoking s'avança vers les deux policiers.

— Inspecteur Higgins... Quel plaisir de vous revoir. Vous vous faites rare, ces temps-ci.

— Trop d'occupations, mon cher James. J'ai le plaisir de vous présenter le superintendant Marlow.

— Heureux de vous accueillir parmi nous, superintendant. Désirez-vous une table près de la fontaine ou derrière la grande glace ?

Higgins glissa quelques mots dans l'oreille de James.

— Ah ! je vais voir... Ce sera difficile. Mais pour vous, inspecteur... Pourriez-vous m'attendre quelques instants ? Je vous fais servir du champagne et un canapé au saumon.

Le maître d'hôtel appela discrètement un serveur qui installa les policiers à une table recouverte d'une nappe rose.

— Vous... Vous venez souvent ici ? demanda Scott Marlow.

— Dégustez ce saumon, mon cher Marlow. C'est le meilleur du Royaume-Uni.

Scoot Marlow détestait l'habitude qu'avait prise Higgins de ne pas répondre aux questions gênantes. Mais l'ex-inspecteur-chef était si têtu et si secret que personne n'avait la moindre chance de le faire parler.

James, un léger sourire aux lèvres, revint juste à

l'instant où Marlow finissait sa coupe de champagne.

— C'est arrangé, inspecteur. Si vous voulez me suivre...

— Vous êtes un homme d'exception, James. C'est grâce à des professionnels de votre qualité que l'Angleterre survivra.

Après s'être légèrement courbé en avant, le maître d'hôtel conduisit ses hôtes jusqu'à son salon particulier donnant sur un jardin intérieur, sorte de miniature persane arrachée au passé. Dans un angle, une fontaine dorée. Les murs étaient recouverts de velours rose. Des lambris dorés, en forme de palme, faisaient chatoyer le plafond.

— C'est magnifique, dit Scott Marlow, hésitant à s'asseoir sur un des fauteuils Louis XV au galbe parfait.

— Je voulais vous faire une petite surprise pour vous redonner le moral, mon cher Marlow. Ce salon particulier possède une particularité inestimable : Sa Majesté l'a parfois honoré de sa présence.

— La reine... La reine elle-même...

— C'est bien exact.

Blême, au bord de l'évanouissement, Scott Marlow se leva.

— Higgins... Vous ne pouvez pas savoir quel plaisir...

— J'en ai une idée approximative, superintendant. Asseyez-vous donc. J'espère que vous aimez le poisson... On nous servira un peu de caviar, du saumon et du turbot. Cela vous convient-il ?

Scott Marlow croyait rêver. Dîner ici, s'asseoir sur un siège où s'était assise Sa Majesté, humer l'air qu'elle avait respiré ! Une ivresse quasi mystique s'emparait du superintendant. A travers la personne de la reine, à travers sa beauté fascinante et son autorité innée, c'était l'Angleterre éternelle qui se profilait. Quel que fût le résultat de l'enquête, quel que fût son sort, Scott Marlow aurait vécu un moment de félicité. Il regretta un peu d'en être redevable à Higgins, mais pourquoi ergoter lorsque le bonheur vous est offert par miracle ?

Higgins laissa son collègue savourer ces instants exquis. Il connaissait trop la qualité de ces grâces spéciales pour en troubler l'ordonnance. Mais un assassin jouissait encore de l'impunité. Eux seuls, inspecteurs du Yard, avaient la possibilité de déchirer le voile du mal.

— Higgins, je tiens à déclarer, de la manière la plus solennelle... Je tiens...

— Lâchez prise, recommanda Higgins. C'est James que vous devez remercier.

Deux serveurs en jaquette déposèrent les plats. Leur intrusion brisa le rêve doré dans lequel Scott Marlow s'était immergé. Percevant le changement d'atmosphère, Higgins en profita pour ramener son collègue sur une terre de douleur.

Il demeure une incompatibilité, superintendant. Il y a bien eu vol, il y a bien eu crime. Mais comment expliquer qu'un voleur haïsse un homme au point de lui infliger de pareilles blessures ?

Scott Marlow, brutalement rappelé à une dure réalité ne s'abandonna pas à la déprime. S'il voulait faire un jour partie de la protection rapprochée de Sa Majesté, il devait se montrer à la hauteur de sa tâche.

— J'ai une hypothèse à vous proposer, Higgins... Ne me croyez pas borné ! Jasper Dean est un suspect de premier plan, mais je n'oublie pas le vol. Tout s'expliquerait si Dean et ce voleur était de mèche. Il y avait quelque chose d'essentiel à dérober, dans ce club... Des papiers, des comptes, des dossiers, que sais-je ! Dean et son complice avaient tout combiné. Dean sortait le document, le lui donnait et restait en compagnie des autres invités. Ni vu ni connu. Mais sir Francis Bacon les a surpris. Il l'a payé de sa vie.

— Très intéressant, admit Higgins. J'adopterai volontiers cette hypothèse-là s'il n'y avait pas le salon de musique...

Marlow vida une coupe de Dom Perignon et goûta à un caviar d'un grain très fin. Il se sentait merveilleusement bien.

— Il ne me gêne pas. Jasper Dean est venu voir Sir Francis sans que les autres invités le sachent. Il l'a sommé de lui remettre le document. Ils se sont disputés... Non, ce n'est pas possible, puisque Sir Francis a été poignardé dans le dos. Je reprends... Jasper Dean croyait trouver vide le salon de musique. Il voit le propriétaire du club installé à son piano, il l'a sommé de lui remettre le document. Ils se sont disputés... Non, ce n'est pas possible, puisque Sir Francis a été poignardé dans le dos. Je reprends : Jasper Dean croyait trouver vide le salon de musique. Il voit le propriétaire du club à son piano, il prend peur, il frappe :

— Impossible.

— Oui, impossible, admit Scott Marlow. S'il avait la lance en main, c'était pour tuer... Il y a donc eu meurtre prémédité. Il faut bien revenir à Jasper Dean... Et nous avons une preuve : ses empreintes.

— Méfions-nous des preuves. Elles ont fait condamner des innocents.

Marlow posa un toast amoureusement recouvert d'un morceau de saumon moelleux.

— Croyez-vous vraiment à l'innocence de ce fabricant d'armes ? Nous avons un mobile, l'arme du crime et une preuve. Que demander de plus ?

— Le document.

— Quel document ?

— Celui à cause duquel Jasper Dean serait devenu un assassin.

— Le voleur l'a emporté...

— Insuffisant. Si toute notre argumentation doit être fondée sur lui, il est indispensable de le retrouver.

— Mieux vaudrait d'abord arrêter Dean puis le faire parler. Nous mettrions fin aux rumeurs et nous donnerions satisfaction à la Couronne.

— Je n'en suis pas si sûr, objecta Higgins. Nous risquons de briser un fil. Que pensez-vous des autres invités ?

— De drôles de corps... Ruth Dean est froide comme un glaçon. Ernie Jenssens est incompréhensible. Sa femme me paraît aussi folle que redoutable. Eleonora Elope est la seule joyeuse de toute la bande. Son mari ne prononce presque pas un mot. Reginald-John est le prototype du grand bourgeois. Sa femme est superbe. Et quelle énergie... Elle en savait plus que moi sur Scotland Yard.

— Aucun d'entre eux ne s'est révolté pendant la fouille ?

— Révolté... Non. Mais ils ont protesté. Sue England a calmé tout le monde en rappelant qu'elle avait subi des outrages bien plus sévères lors de certains passages de frontières. Son mari a exigé que son costume ne fût pas froissé. Eleonora Elope a ri, expliquant qu'elle était chatouilleuse. Freddy Elope est demeuré sans réaction. Ernie Jenssens a grommelé. Sa femme a imploré le Seigneur, se demandant pourquoi une telle calamité s'abattait sur elle. Les Dean n'ont eu aucune réaction particulière.

Au turbot succéda une charlotte aux poires dont l'exceptionnelle finesse ravit le palais de Higgins. Scott Marlow semblait trop préoccupé pour l'apprécier.

— Avant de prendre une décision concernant

Jasper Dean, suggéra l'ex-inspecteur-chef, pourriez-vous m'accorder quarante-huit heures ?

Le superintendant hésita.

— Difficile... Il me faudra faire patienter la Couronne.

— Nous sommes dimanche soir. Mardi, à minuit, j'aurai contraint le coupable à avouer ou je renoncerai.

Scott Marlow fut surpris par la détermination de Higgins. Il était rare que l'ex-inspecteur-chef fût aussi péremptoire.

— Auriez-vous une piste plus sérieuse que celle offerte par Jasper Dean ?

— L'avenir le dira. Surtout, que le club soit gardé en permanence. Ne laissez entrer personne. Je vous laisse. Je vous recommande la cuvée spéciale d'Aberlour Glenlivet... Nous nous retrouverons à « Tradition ».

— Vous... vous me laissez seul ici ?

— Profitez-en, mon cher Marlow. Ce salon est rarement libre.

Le superintendant se laissa convaincre. Après tout, il avait un bon suspect. Higgins partant en chasse, il pouvait s'accorder un peu de repos. Seule ombre au tableau : l'ex-inspecteur-chef disposait certainement d'indices qu'il conservait par-devers lui, selon sa détestable habitude.

Higgins ne possédait pas le moindre indice déterminant.

Du moins, pas de manière consciente. Car il était persuadé que des fenêtres s'étaient ouvertes sur le mystère, que des révélations décisives lui avaient été accordées sans qu'il les perçût. Elles étaient enregistrées dans son carnet noir dont, pour le moment, les pages sommeillaient sur son cœur. Il n'était pas l'heure de les consulter. Elles devaient dormir, se dépouiller de leurs scories, rejeter d'elles-mêmes les détails inutiles.

Higgins marcha longtemps, se laissant guider par son instinct qui l'amena vers Bloomsbury, vers le club « Tradition ».

— Alors, inspecteur on piétine ?

La voix grasseyante de la clocharde s'élevait d'un amas de chiffons qui avait augmenté au point de recouvrir entièrement sa tête.

— On piétine, reconnut Higgins. J'aimerais vous poser une question indiscrète.

— Pourquoi pas ?

— Où avez-vous appris l'air de la cantate que vous chantiez naguère ?

Le tas de chiffons s'enfonça quelques instants dans le silence.

— La chose gaie et rapide ? demanda la clocharde.

— Exactement.

— Cet automne, Sir Francis l'a jouée au piano une bonne dizaine de fois, la fenêtre ouverte. J'ai l'oreille musicale, moi... Et une mémoire d'éléphant.

— Ne connaîtriez-vous pas le nom de l'assassin, par hasard ?

La tête de la clocharde sortit des chiffons, telle une tortue émergeant de sa carapace.

— Faites bien attention à vous, inspecteur. Tout ça sent mauvais.

CHAPITRE X

Christopher, accompagné d'un policier en uniforme, ouvrit à Higgins la porte du club « Tradition ». Le secrétaire particulier de feu Sir Francis Bacon conservait une impassibilité polie comme si les événements n'avaient pas de prise sur lui.

— Rien à signaler ? demanda Higgins.

— Rien, inspecteur. Puis-je vous offrir un verre de vieux sherry ?

— Volontiers, à condition qu'il ne soit pas drogué.

— Je le goûterai moi-même en premier.

Les deux hommes entrèrent dans la bibliothèque gardée par un autre policier. Pendant que Higgins prenait place dans un fauteuil au dossier droit, Christopher tint ses engagements.

Il but une gorgée de vieux sherry.

— Attendons quelques minutes, proposa-t-il. Je vous signale que le superintendant Marlow a regagné son bureau du Yard.

Le secrétaire particulier attisa le feu. Il régnait dans la bibliothèque une agréable chaleur qui tenait à l'écart les froidures de l'hiver. Les bons auteurs présents sur les rayonnages répandaient leur influence positive, créant une douce magie peuplée de poèmes, de pièces de théâtre et de romans.

— Je suppose, dit Higgins sur un ton presque détaché, que vous notiez les rendez-vous de Sir Francis sur un agenda.

Christopher rangea le tisonnier.

— Cela faisait partie de mon travail, en effet.

— Pourriez-vous me le montrer ?

Le secrétaire particulier regimba.

— C'est un document confidentiel... Je ne sais pas si...

— Il n'y a plus de documents confidentiels, intervint Higgins, puisqu'un meurtre s'est produit. Si vous taisez des faits essentiels pour l'enquête, vous risquez de graves ennuis.

Christopher fit quelques pas vers les rayonnages consacrés aux œuvres de Shakespeare.

— Quand désirez-vous consulter cet agenda ?

— Immédiatement, répondit Higgins.

D'une main qui ne tremblait pas, Christopher fit pivoter un panneau de la bibliothèque, mettant au jour un petit coffre mural. Il utilisa une combinaison simple pour l'ouvrir. A l'intérieur, un carnet oblong à la couverture de cuir rouge.

— Voici, inspecteur.

Higgins, sans se presser, feuilleta le précieux agenda, s'attardant plus particulièrement sur le mois précédent l'assassinat de Sir Francis. Le propriétaire de « Tradition » avait un calendrier chargé : les noms les plus illustres étaient là. L'un d'eux était encadré de rouge : Johnson Brandys. Le rendez-vous avait eu lieu trois jours avant le soir tragique.

— Connaissez-vous ce Johnson Brandys ?

— Oui et non, répondit Christopher. Ce n'est pas un membre du club. Je ne l'ai vu qu'une seule fois, ce jour-là.

— Profession ?

— Banquier.

— Pour quelle raison Sir Francis l'a-t-il reçu ?

— Je l'ignore. Mais il y a un détail troublant...

— Lequel ?

Christopher tâta son pansement. La nuque le faisait souffrir. Il rassembla ses souvenirs avec peine.

— Sir Francis était un homme d'une humeur perpétuellement égale. Jusqu'à ce jour-là, je ne l'avais jamais vu en colère. Il est sorti furieux du salon de musique, où il recevait ses hôtes. Il a bu un whisky sec. Il était animé d'une rage froide.

— Vous en a-t-il confié les raisons ?

— Non... Il a prononcé des mots comme « incroyable », « jamais », « ce monde est insensé »... Sans préciser sur quel sujet portait son mécontentement.

Higgins lissa sa moustache poivre et sel. Il se leva et décrocha le combiné d'un téléphone de style ancien trônant sur une console en marbre. Il composa le numéro personnel de son ami Watson B. Petticott, tête pensante de la banque d'Angleterre. Rien de ce qui se passait dans le monde de la finance ne lui était étranger. Camarade de collège de Higgins, Watson B. Petticott était un passionné d'enquêtes criminelles. Grâce à Higgins, il réalisait une partie de son rêve le plus secret : devenir inspecteur du Yard.

— Higgins ! Heureux de t'entendre... Ma soirée de dimanche était sinistre. Tu vas encore me mettre sur une affaire croustillante, je le sens !

— J'ai peur que non, Watson. Un simple renseignement. Connaîtrais-tu un banquier de haut niveau appelé Johnson Brandys ?

— Ce nom ne me dit rien... Quelle faute a commise ce quidam ?

— Aucune pour le moment. Mais j'ai besoin de le rencontrer. Il a eu un rendez-vous curieux avec le propriétaire du club « Tradition ».

— Sir Francis Bacon ? Celui qui vient d'être assassiné ? Fabuleux ! D'autant plus fabuleux que je suis membre honoraire du club !

— Tu connaissais donc Sir Francis ?

— Je l'ai croisé une ou deux fois. Appartenir à « Tradition » était un grand honneur, mais je n'avais pas le temps d'y aller souvent... J'y ai pourtant rencontré des gens importants. Mais pas de Johnson Brandys... Où es-tu ?

— Au club « Tradition ».

— Je te rappelle.

L'attente dura une demi-heure, pendant laquelle Higgins et Christopher n'échangèrent pas le moindre mot. Ce dernier étudia des dossiers. L'ex-inspecteur-chef se contenta de regarder les flammes dansant dans la cheminée. L'espace d'un instant, il fut persuadé qu'elles lui parlaient, offrant un détail capital. Il tenta de se concentrer, de comprendre ce message mystérieux mais fut troublé par la sonnerie du téléphone.

— Higgins ? Ici Watson B. Petticot. J'ai une information sensationnelle... Après vérification, je peux t'assurer que ton Johnson Brandys n'existe pas ! Ton banquier, si c'en est un, portait un nom d'emprunt.

— Remarquable, Watson. Ne quitte pas. Christopher... Voulez-vous prendre le combiné et décrire ce Johnson Brandys.

Le secrétaire particulier s'exécuta.

— Petit, les épaules rondes, chauve, des lunettes carrées, un costume prince-de-galles, des...

— Jacob Berner ! s'exclama Watson B. Petticott..
Jacob Berner... Ce ne peut être que lui.

Higgins reprit le combiné.

— Où puis-je le trouver ?

— C'est un fondé de pouvoir d'une grande banque... Je te l'envoie. Compte sur moi pour le décider
à venir sur l'heure... A une condition : tu me
raconteras tout après. Nous dînerons au *Ritz* et tu
ne me feras grâce d'aucun détail.

— Tu as ma parole, Watson.

Christopher sortit de la pièce.

Il était près de dix heures du soir lorsque Jacob
Berner frappa à la porte du club « Tradition ».
L'homme était bien tel que Christopher l'avait
décrit. Introduit dans la bibliothèque par un policier en uniforme, il tremblait de tous ses membres.

— Je n'ai rien fait de mal, déclara-t-il dès qu'il vit
Higgins. Je ne suis responsable de rien. C'était un
simple rendez-vous d'affaire, rien de plus...

— Calmez-vous, recommanda Higgins, rassu-
rant. Je tenais à vous entendre rapidement à titre de
témoin... rien de plus. Vous êtes bien banquier et
vous appelez bien Jacob Berner ?

Le petit homme passa une main moite sur son
crâne chauve.

— C'est ça même... Je suis fondé de pouvoir.
Voyez vous-même.

Berner présenta à Higgins une carte professionnelle certifiant qu'il était employé par l'une des
grandes banques du Royaume-Uni.

— Pourquoi vous être présenté à Sir Francis
Bacon sous un faux nom ?

— Par souci de discrétion, inspecteur. La concur-
rence est sévère. Je suis assez connu dans le milieu
bancaire et je préférais passer inaperçu.

— Pour quelle raison ?

Berner rentra les épaules, comme pour se protéger d'un mauvais coup.

— Secret professionnel, inspecteur. Vous comprendrez aisément que je ne puisse en dire davantage.

— Je ne crois pas pouvoir admettre ce secret-là, Monsieur Berner. Il y a eu meurtre. Vous avez rencontré la victime dans des circonstances étranges. D'après un témoin, Sir Francis était furieux au sortir de son entretien avec vous. Est-ce bien la vérité ?

— D'une certaine manière... Mais comprenez-moi... Ma position, les affaires, les difficultés actuelles...

— Il y a eu meurtre, répéta Higgins, tranquille. Je vous écoute.

Jacob Berner avala sa salive.

— C'est vraiment délicat, très délicat... De plus, cela n'apporterait rien de nouveau à votre enquête.

— Laissez-m'en juge.

Le fondé de pouvoir baissa pavillon. Cet inspecteur qui n'élevait pas la voix et se montrait fort aimable n'abandonnerait pas la partie. Il ne lui rendrait pas sa liberté avant qu'il ait parlé. Il bénéficiait en outre de puissants appuis comme le prouvait l'intervention d'un homme aussi influent que Watson B. Petticott.

— J'avais demandé rendez-vous à Sir Francis Bacon sous un faux nom et pour un faux motif, expliqua Jacob Berner avec gêne. En réalité, je venais lui proposer, au nom de ma banque dont il était client, d'acheter le club « Tradition ».

— Et cette proposition lui a fortement déplu...

— En quelque sorte... Mais n'en tirez aucune conclusion !

Le petit homme essuya avec rage les verres de ses

lunettes carrées, comme s'il tentait d'effacer quelque tache indélébile.

— Le club connaissait-il des difficultés financières ?

— Bien sûr que non, répondit vivement Jacob Berner. « Tradition » est le fleuron des clubs londoniens. La liste d'attente des célébrités qui voudraient en faire partie est interminable. Sir Francis Bacon aurait pu doubler les cotisations sans perdre un seul adhérent.

Le regard de Higgins se fit acéré.

— Il n'y a donc qu'une seule explication au courroux du lord... Vous avez tenté d'exercer sur lui un chantage.

Le fondé de pouvoir se dressa, tel un diable jaillissant d'une boîte à malices.

— Inspecteur ! Ce sont des accusations d'une gravité exceptionnelle !

— En effet, Monsieur Berner. Voici comment j'imagine la scène : mandaté par votre banque pour acquérir un club qui lui aurait offert bien des perspectives, vous avez énoncé une somme, probablement considérable. Sir Francis vous a opposé un refus définitif. Alors, vous avez usé du chantage. En tant que client de votre banque, il est forcément vulnérable. Peut-être a-t-il des emprunts ou un autre talon d'Achille financier. Mon ami Petticott m'aidera à le découvrir.

Jacob Berner, en état de choc, se rassit avec une extrême lenteur.

— Inutile de le déranger à nouveau, inspecteur... Sir Francis désirait procéder à une rénovation presque totale du club. Il désirait emprunter une somme très importante. Nous avions un beau coup à jouer... Je l'ai raté.

Higgins, de son écriture fine et rapide, prenait des

101

notes dont l'abondance angoissait le fondé de pouvoir.

— Ennuyeux pour votre carrière, observa l'ex-inspecteur-chef.

— On ne peut pas toujours réussir... Avec un homme comme Sir Francis, c'était presque sans espoir.

— Pouvez-vous me préciser votre emploi du temps pour le soir du crime, jeudi dernier, à partir de vingt-trois heures ?

— Je ne m'en souviens plus... Ah si... Je me reposais chez moi.

— Vous n'êtes pas marié ?

— Non.

— Et vous étiez seul ?

— Oui, inspecteur. Mais en quoi...

— Où résidez-vous ?

— Dans Theobald's Road.

— C'est tout près du club. Un quart d'heure à pied ?

— En marchant très vite ! Vous n'allez quand même pas croire que...

Higgins perdit un peu de son amabilité.

— Examinons ensemble les faits, Monsieur Berner. Vous recevez la mission de faire plier par n'importe quel moyen le propriétaire du club « Tradition » et d'en devenir acquéreur. Vous échouez. Si vos employeurs l'apprennent, votre carrière est terminée. Il ne vous reste qu'une solution : assassiner Sir Francis Bacon.

Le fondé de pouvoir tourna de l'œil.

Higgins lui servit un verre de vieux sherry. Il le lui fit absorber puis lui tapota le dessus de la main droite.

— Allons, Monsieur Berner... Reprenez-vous. Je n'ai pas encore la preuve que vous soyez un criminel. Avouez avec moi que votre absence d'alibi est plutôt gênante, surtout à la suite d'une usurpation d'identité. N'existe-t-il vraiment personne pour témoigner que vous étiez bien chez vous, le soir du crime ? Une gardienne d'immeuble ? Un voisin ?

Jocob Berner baissa la tête, effondré.

— Ni l'un ni l'autre... Je n'ai que ma parole et ma bonne foi...

— Elles sont malheureusement d'une qualité médiocre, semble-t-il.

Le fondé de pouvoir regarda l'ex-inspecteur-chef avec des yeux de chien battu.

— J'exerce une profession impitoyable, c'est vrai... Mais je n'ai jamais tué personne.

— Je vérifierai, Monsieur Berner. Rentrez chez vous et passez une bonne nuit. Ne quittez pas Londres. Je vous ferai signe si j'ai besoin de vous.

Il était plus de dix heures du soir. Higgins, par bonheur, n'avait pas sommeil. La nuit risquait d'être longue.

L'ex-inspecteur-chef demanda à un policier de faire venir Christopher. Celui-ci ne tarda pas.

— J'ai besoin de consulter le courrier adressé à Sir Francis, exigea Higgins.

— Rien de plus facile. Je le classe quotidiennement. A quelle date souhaitez-vous remonter ?

— Commençons par l'année en cours.

— Entendu.

Christopher fit pivoter un pan entier de la bibliothèque consacré aux éditions originales de Charles Dickens et de Mark Twain. Des dossiers suspendus contenaient le courrier adressé au club depuis sa reprise en main par Sir Francis.

Higgins s'installa au bureau le plus proche de Shakespeare. Une lampe ancienne, pourvue d'un abat-jour décoré d'une frise de motifs héraldiques, dispensait une lumière à la fois douce et précise.

— Si cela ne vous dérange pas, inspecteur, j'ai-

103

merais rester ici pour travailler. Impossible de trouver le sommeil. Autant avancer dans mon travail.

— Je vous en prie, Christopher.

Le secrétaire particulier s'assit dans un fauteuil, face à la cheminée. Il vérifia l'inventaire des éditions rares acquises par le club.

Higgins, non sans plaisir, retrouvait l'atmosphère des bibliothèques de son enfance et de son adolescence. En Orient comme à Cambridge, il aimait passer de longues heures dans ces cavernes aux trésors où les hommes se taisaient pour laisser parler les livres. Y avait-il d'autres lieux où l'on pouvait rencontrer autant de génies à la fois, où l'on se laissait bercer par des voix immortelles chantant à jamais des phrases impérissables ? Les livres vivaient d'une vie secrète, respiraient avec la discrétion innée des êtres d'exception, se cachaient pour mieux être découverts par un lecteur attentif qui apprécierait la beauté de la reliure, l'élégance des caractères, la qualité du texte. Les apparenter à des objets constituait un crime contre la pensée.

Un crime... Higgins n'était pas là pour rêver.

Il commença à feuilleter les liasses de courrier : demandes d'admission au club, lettres de félicitations, missives officielles provenant de ministères, d'ambassades ou de centres culturels... Au terme d'une demi-heure de dépouillement, Higgins comprit qu'il n'apprendrait rien de cette paperasse.

Christopher n'avait pas bougé. Il semblait doté d'un surprenant pouvoir de concentration.

— Désolé de vous importuner, s'excusa Higgins, mais je n'avance guère...

Christopher se retourna.

— Puis-je vous aider, inspecteur ? Cherchez-vous quelque chose de particulier ?

— Le courrier personnel de Sir Francis... Il n'y a ici que des lettres officielles.

Le secrétaire particulier se leva.

— C'est que...

— Savez-vous où il se trouve ?

— Certes. Mais est-ce bien légal ? Plus encore, est-ce bien moral ?

— La question méritait d'être posée, reconnut l'ex-inspecteur-chef. Tout dépend de notre volonté réelle, pour vous comme pour moi : désirons-nous connaître l'identité de l'assassin ?

— Comment en serait-il autrement ?

— En ce cas, certaines barrières doivent être franchies.

— Parfait, inspecteur, suivez-moi.

Les deux hommes sortirent de la bibliothèque, traversèrent le hall et empruntèrent l'escalier principal en direction du salon de musique.

— Personne ne s'est présenté au club, aujourd'hui ?

— Non, inspecteur. Pendant votre absence, j'ai annulé les réceptions qui devaient avoir lieu ces jours-ci et prévenu les membres permanents du club de sorte qu'ils annulent leurs rendez-vous. Un faire-part annonçant les funérailles de Sir Francis paraît dans la presse de demain. Chacun sait que « Tradition » restera fermé jusqu'à la fin de l'enquête.

Le salon de musique sommeillait dans le silence et l'obscurité, à peine voilée par un rayon de lune. Le secrétaire particulier posa l'index sur un interrupteur.

— Non, pria Higgins. N'allumez pas tout de suite.

L'ex-inspecteur-chef s'avança à pas feutrés dans la pièce endormie. Elle était emplie de la présence invisible de Sir Francis Bacon. Un être comme celui-là restait irremplaçable. Higgins prenait pour la première fois contact avec son esprit, osait entrer dans l'intimité de sa mort avec le respect dû à ceux qui avaient marqué d'une empreinte ineffaçable leur passage sur cette terre.

Pourquoi cette impression si profonde ? Higgins, cheminant entre le piano et la harpe, cherchait à en découvrir la cause. Sir Francis n'était pas qu'un brillant président du club le plus renommé de la capitale. Il avait un autre génie. Et c'était ici, et nulle part ailleurs, que se trouvait la clé principale du mystère.

La lumière argentée se posa sur l'un des tableaux que Christopher avait de nouveau accrochés au mur : le potier créant un vase sur son tour.

Higgins sourit. Sir Francis possédait, en effet une autre dimension : celle d'un peintre d'exception. A l'homme d'influence, régnant sur l'intelligentsia londonienne, s'ajoutait un créateur aussi peu préoccupé de gloire et de renom. Turner, Van Gogh, Fra Angelico... il y avait l'influence de ces géants-là dans le style, l'art et la couleur de Sir Francis. Mais sa vision n'appartenait qu'à lui, nulle influence ne suffisait à le définir.

Le secret... Voilà le maître-mot qui rendait compte de la personnalité du défunt lord. Secret dans son existence quotidienne, secret dans son art, le maître de « Tradition » n'avait pas laissé la moindre trace derrière lui qui permettait de comprendre le mobile du crime.

— Allumez, demanda Higgins.

Le salon de musique ressemblait à ce qu'il aurait toujours dû être, un lieu de paix et d'harmonie.

— C'est vous qui l'avez remis en ordre ?

— Oui, inspecteur. Je ne supportais plus ce chaos.

— Sans avoir eu l'autorisation du superintendant, vous risquez un blâme sévère.

— J'en prends le risque.

Christopher souleva une tenture cachant un meuble en marqueterie tout en hauteur et peu profond.

— Sir Francis y rangeait les lettres personnelles
qu'il désirait conserver.

— Comment l'ouvre-t-on ?

Le secrétaire particulier hésita.

— L'ignorez-vous, Christopher ?

— Non, inspecteur. La clé est cachée dans ce
siège. Il comporte un couvercle. Je ne me suis
jamais permis d'ouvrir le meuble. C'est Sir Francis
lui-même qui m'a indiqué l'emplacement de la clé
en cas de nécessité absolue.

— Si j'apprécie bien la situation, nous y sommes.

Higgins ouvrit. Les tiroirs étaient remplis de
lettres datant de différentes années. Une grande
partie d'entre elles était dûe à des anciens cama-
rades de la R.A.F. Immobile, Christopher assista à
la fouille entreprise avec méthode par l'homme du
Yard.

Il n'était pas loin de onze heures trente quand
Higgins mit la main sur un document bizarre,
datant de la veille du meurtre :

« *Mon cher Francis,*

*Je suis ton plus vieil ami, ton plus vieux compagnon
de route, celui sur lequel tu pourras toujours compter.
Aie totale confiance en moi. J'ai le privilège de l'âge, sa
sagesse et son expérience. Tu connais ma grande
sensibilité. C'est peut-être un défaut, mais je suis
comme ça. Avant de prendre une décision, consulte-
moi, je serai de bon conseil. Quel que soit ton choix, je
serai avec toi. Tu peux te reposer sur moi. Tu sais
combien je t'admire.* »

L'écriture tremblait, mais était lisible, de même que la signature : *Ernie Jenssens*.

Higgins, qui avait l'oreille d'un chat, entendit le carillon pourtant discret de la porte d'entrée du club. Un policier de garde vint le prévenir qu'un membre de « Tradition » tentait de forcer le passage.

CHAPITRE XI

Une voix embarrassée, mais coléreuse, s'opposait à celle du policier en uniforme qui, respectant la consigne, s'obstinait à refuser l'entrée du club à quiconque.

— Je suis membre fondateur! J'ai le droit de passer la nuit ici!

Higgins intervint.

— Monsieur Jenssens! Quelle surprise... Un ennui?

L'apparition de l'ex-inspecteur-chef calma le chirurgien.

— Un ennui grave... Je peux entrer?

— Je vous en prie. J'avais justement quelques questions à vous poser.

*

Pendant que Higgins accueillait Ernie Jenssens, un drame domestique se nouait, drame dont les conséquences, encore ignorées de l'ex-inspecteur-chef, devaient rejaillir sur le cours des événements.

Le colonel Arthur Mac Crombie, à qui Higgins avait formellement demandé de ne pas se mêler de l'enquête, avait quitté son appartement londonien un peu moins de quarante-huit heures après l'assassinat de son ami Sir Francis. Conformément à son habitude, il n'ouvrait jamais son courrier pendant le week-end, qui, pour lui, commençait le vendredi à midi.

Grand chasseur devant l'Eternel, le colonel Arthur Mac Crombie aurait dû regagner la capitale dans la matinée du lundi et y dépouiller son courrier. Mais un obscur problème de décompte lors du tableau de chasse ayant provoqué des contestations en ce dimanche soir, force fut au plus expérimenté des invités, Sir Arthur Mac Crombie lui-même, de jouer le rôle de juge après un examen attentif des pièces de gibier.

Aussi son lundi, et probablement son mardi devraient-ils être occupés par cette tâche essentielle, tandis qu'un pli expédié par Sir Francis Bacon à l'attention du colonel sommeillait dans l'appartement de ce dernier au milieu de factures et de prospectus.

Higgins s'était absenté quelques instants, laissant Christopher et Ernie Jenssens en tête à tête dans la bibliothèque. Il donna des consignes aux hommes de garde : à l'exception du superintendant Marlow et de lui-même, ne laisser pénétrer personne, sous aucun prétexte, dans le salon de musique.

Le secrétaire particulier avait repris son travail. Jenssens tournait comme un lion en cage.

— Ah, inspecteur ! Il faut que je vous parle tout de suite !

Le chirurgien s'exprima à voix basse, mâchonnant quelques mots que Higgins parvint à comprendre.

— Pas en présence de ce Christopher... Si c'est bien un juif, il faut s'en méfier comme de la peste.

— Hélas, Monsieur Jenssens, il n'y a pas d'endroit plus tranquille que cette bibliothèque ! Soyez rassuré : le secrétaire particulier de Sir Francis Bacon est une tombe.

Higgins avait parlé suffisamment fort pour que Christopher l'entendît. Ce dernier ne leva même pas la tête.

Ernie Jenssens, affolé, regarda en direction de la porte. Higgins le convia à s'asseoir.

— Un grave ennui, inspecteur, je vous l'ai dit... Je rentrais chez moi tranquillement, j'ai mis la clé dans la serrure comme d'habitude, j'ai ouvert et... Je n'ai pas pu rentrer. J'ai poussé, poussé... Il y a eu un hurlement !

— Qui l'a émis ?

Ernie Jenssens bafouilla, se moucha, bafouilla encore.

— C'est ma femme, Hanna... Elle s'est couchée en travers du seuil. Elle m'a reproché de rentrer trop tard. Elle m'a insulté. Je n'ose pas répéter ses mots... Elle est persuadée que je la trompe ! Moi qui la respecte tant... Et qui en ai si peur ! Elle est terrifiante, Hanna...

— Vous êtes donc tout à fait innocent.

— Tout à fait... Disons presque. Mais innocent, sûrement ! Hanna a un caractère tellement entier... Ce n'est pas facile de vivre avec elle. Elle me martyrise.

— N'auriez-vous pas intérêt à la quitter ? suggéra Higgins.

— Ce serait pis encore, inspecteur... Je crois qu'elle me tuerait. Si vous connaissiez sa jalousie... Je n'ai même pas le droit d'accorder un petit regard à un jupon qui passe.

— Seulement un regard ?

111

— Un regard, une main, je ne sais plus, moi ! Mais rien d'important... Hanna est un monstre, inspecteur. Personne ne serait capable de lui tenir tête... Alors moi, sensible comme je suis... Je ne résiste pas aux événements comme Sue England, moi... Elle a une énergie fabuleuse à force de prendre celle des autres. A chaque fois que ma femme lui parlait de son arthrite, Sue lui répondait que la sienne était bien plus grave.

— Votre épouse voyait-elle souvent Sir Francis ?

— Presque jamais. Vous n'auriez pas quelque chose à boire ? L'émotion...

Higgins offrit au chirurgien un verre de vieux sherry. Il l'avala cul sec.

— Je n'ai pas l'habitude de l'alcool, inspecteur, mais je n'ai pas non plus l'habitude de coucher hors de chez moi.

— Et Sue England ? poursuivit Higgins. Avait-elle davantage d'occasions de fréquenter le défunt lord ?

— Sûrement pas, répondit Ernie Jenssens. Il l'évitait comme une maladie honteuse. Francis ne critiquait personne. Il parlait peu et préférait garder pour lui ses pensées. Un soir, devant un bon verre comme celui-ci, il m'a avoué qu'il n'avait jamais rencontré femme plus stupide et plus prétentieuse. J'ai sommeil, inspecteur... A mon âge et avec toutes ces émotions... Puis-je dormir au second étage ?

— Sir Francis, dans des circonstances aussi déplorables, ne vous aurait pas refusé l'hospitalité. Allez goûter un repos bien mérité, Monsieur Jenssens.

Christopher se leva.

— Je fais le nécessaire pour assurer à notre hôte un minimum de confort.

— Seriez-vous assez aimable pour mettre une

bouillotte dans mon lit ? demanda Higgins. Quand je reviendrai, j'aimerais trouver des draps chauds.

— Vous sortez à cette heure-ci ?

Higgins consulta son oignon qui marquait onze heures et demie.

— Encore une petite formalité à accomplir.

Dès que Jenssens et Christopher eurent disparu, Higgins appela son ami écossais Malcom Mac Cullough, le meilleur commissaire-priseur du Royaume-Uni. Quand il n'officiait pas en salle de ventes, il avait coutume de dormir le jour et de travailler la nuit. Il venait de déménager pour occuper un assez vaste domaine au nord de Londres où il pourrait enfin ranger ses collections de stèles, de vases et de statues. Doté d'une mémoire phénoménale et d'une érudition non moins étonnante. Mac Culough ne cessait d'approfondir ses connaissances. Aucune des transactions qui s'opérait sur le marché des objets d'art ne pouvait lui échapper. Il n'avait que deux défauts : un langage parfois un peu rude et la prétention aveugle d'être un bon pâtissier. Le foie de Higgins avait déjà eu à souffrir de ses cakes et de ses puddings.

Dès la seconde sonnerie, Malcom Mac Cullough décrocha. Le téléphone était posé sur une pile d'énormes volumes consacrés à la composition chimique des fresques gréco-romaines.

— Higgins ! Ce vieux complice. Quel crime t'amène ?

— Celui de Sir Francis Bacon.

— Connais pas.

— Ce n'est pas à son propos que j'ai besoin de tes compétences. Il y a un témoin, un certain Ernie Jenssens, qui...

— Ernie Jenssens, ce vieux salopard ! coupa Malcom Mac Cullough. Tu as de la chance. Je n'ai même pas besoin de consulter mes fiches. Il a été la cause d'un petit scandale, chez Sotheby's, il n'y a pas un mois... C'est un des deux ou trois plus importants collectionneurs anglais de jeux de fléchettes anciens. Mais c'est aussi un type sans morale. Il a tenté de corrompre un de mes adjoints pour acquérir une belle pièce. Je lui ai signifié son exclusion définitive des salles de ventes. Dans le métier, désormais, il est catalogué parmi les brebis galeuses. Il m'a traité de sale juif. Il était rouge de colère. J'ai cru que ses veines allaient éclater ! Ne crois pas un mot de ce que raconte ce type-là. C'est le plus bel hypocrite que la terre ait jamais porté ! On murmure que son passé ne serait pas des plus clairs, surtout pendant la guerre... Il n'a d'authentique que ses jeux de fléchettes.

— Sois remercié pour ces renseignements, Malcom.

— Rien que du bon chez Mac Cullough, vieux gredin ! Dans combien d'heures mets-tu la main au collet de l'assassin ?

— Difficile à dire...

— Je te donne jusqu'à mercredi ! Le soir, tu viens dîner pour voir mes nouveaux locaux. Je ferai moi-même la cuisine. J'ai inventé une recette de flanc salé à la banane dont tu me diras des nouvelles.

En raccrochant après avoir été contraint d'accepter l'invitation, Higgins ressentit une certaine lassitude. Le chemin vers la vérité était vraiment encombré d'épreuves périlleuses. Pour échapper au flan de Mac Cullough, il n'y avait qu'une solution : poursuivre l'enquête au-delà de la date du dîner, autrement dit avoir échoué.

L'hiver accordait à Londres une nuit de répit. La pluie glacée avait cessé de tomber, la température était remontée de quelques degrés. Durant cette accalmie, la clocharde qui surveillait le club « Tradition » avait quitté sa bouche de chaleur. A sa place, il y avait un vieil édenté maigre comme un clou qui mâchait un sandwich.

— Pardonnez-moi de vous importuner, dit Higgins. Sauriez-vous où se trouve la locataire qui vous a précédé ?

L'homme leva vers l'ex-inspecteur-chef des yeux injectés de sang.

— Vous la connaissez ?

— Nous sommes en affaires.

— Du sérieux ?

— Du très sérieux. Ne le répétez pas, mais Scotland Yard est de la partie.

— Ouais... encore du mouron à se faire.

— Pas obligatoirement, s'il m'est possible de converser à nouveau avec votre collègue.

— C'est pas ma collègue, mais ma patronne... « La Vieille » est une peau de vache mais elle sait diriger son monde et nous trouver à manger. Pendant qu'elle vadrouille sur les docks, je garde sa place. Elle va revenir. Vous bilez pas.

Higgins accepta l'augure. Il salua le clochard et s'enfonça dans la nuit. Pour aller de Bloomsbury à Soho, il passa par Tottenham Court Road et emprunta Oxford Street où étaient concentrés quelques-uns des plus fameux magasins de la capitale, de Selfridges à Marks à Spencer. A cette heure tardive, plus de badauds. Même si la plupart des vitrines demeuraient éclairées, elles n'attiraient plus le moindre admirateur. L'ex-inspecteur-chef, qui marchait d'un pas rapide, tourna bientôt dans Poland Street qui n'était pas trop contaminée par l'animation quelque peu douteuse de Soho.

L'ex-inspecteur-chef se plaça sous l'auvent protégeant la demeure des Jenssens, s'essuya les pieds sur l'épais paillasson et sonna.

— Fiche le camp! répondit une voix aiguë. Repars d'où tu viens, vieux cochon! Moi vivante, tu ne franchiras pas cette porte... Ecrase-moi, si tu l'oses!

— Telle n'est pas mon intention, annonça Higgins. Je suis l'inspecteur du Yard... Sans doute vaudrait-il mieux vous relever et m'ouvrir. Madame Jenssens.

La femme du chirurgien accepta. Elle fit entrer Higgins dans le long couloir éclairé d'une impressionnante file de hautes bougies dans la cire desquelles elle avait gravé des croix de formes diverses. A la porte de la salle de jeux, un cadenas.

— C'est Ernie qui l'a fermée. Il est persuadé que je veux lui voler ses fléchettes. Il doit être envoûté par une traînée... Il passait presque toutes ses soirées au club, il ne peut pas rester en place! On croirait que cette maison lui fait horreur. Depuis la mort de Sir Francis, il prétend dîner chez les Elope. Je suis sûre qu'il ment. Il me trompe. Alors, je vais le désenvoûter... Vous voyez ces cierges?

Higgins hocha la tête affirmativement.

— Je m'asseois, je ferme les yeux et je prie.

Hanna Jenssens joignit le geste à la parole. Elle marmonna une série d'incantations dont Higgins ne comprit pas un traître mot. Au risque de la perturber, il s'aventura à lui poser la question qui avait motivé sa promenade nocturne.

— Madame Jenssens... Après vous être réveillée, n'êtes-vous pas entrée, seule, dans le salon de musique?

La petite femme aux cheveux auburn et à la robe brune interrompit son irritante mélopée. Elle se piqua l'annulaire avec une épingle.

116

— Il faut que je souffre pour que ses péchés lui soient pardonnés, déclara-t-elle, les yeux fermés.

Le sang perla au bout du doigt.

— Vous y êtes entrée, n'est-ce pas ? insista Higgins.

— Moi non, répondit-elle, mon double éthérique peut-être...

— Sir Francis était-il encore vivant ?

— Vivant... Mort... Qui pourrait le dire ? Il fallait le sauver, lui aussi...

— Et vous avez déposé une croix pour l'arracher au péché... Vous a-t-il parlé ?

Hanna Jenssens suça son sang.

— Partez, inspecteur. Je n'ai rien à vous dire. J'attends mon mari.

L'ex-inspecteur-chef n'insista pas. Il quitta la demeure des Jenssens. Dès qu'il eut refermé la porte, elle s'étendit à nouveau sur le seuil.

De Soho à Kensington, il y avait près de cinq kilomètres. Higgins marcha jusqu'à Oxford Circus où il trouva un taxi libre. Celui-ci passa par Marble Arch, emprunta Bayswater Road et déposa Higgins devant l'immeuble où habitaient les Elope, dans Kensington Church Street.

Leurs fenêtres étaient éclairées.

Higgins monta jusqu'à l'appartement des Elope et sonna. Eleonora Elope lui ouvrit.

— Inspecteur... Que se passe-t-il ?

— Rien de grave, Madame. Quelques détails à vérifier. Puis-je entrer ?

— Je vous en prie. Nous buvions une infusion de serpolet... Désirez-vous vous joindre à nous ?

— Avec plaisir.

L'odeur de tabac agressa aussitôt les narines de

117

Higgins. Eleonora Elope alluma une cigarette. Son mari, assis dans un fauteuil rouge devant la cheminée où pétillait un feu, salua d'un signe de tête l'ex-inspecteur-chef. Higgins constata qu'il avait les yeux fixés sur un échiquier.

Eleonora Elope apporta une tisanière et une troisième tasse.

— Je crois que j'ai interrompu votre partie d'échecs, constata Higgins.

— C'est sans importance... Freddy gagne toujours.

— Puis-je prendre votre place ? Je ne suis qu'un modeste joueur. Me faire battre par M. Elope sera un honneur.

La situation était désespérée. La reine de Mme Elope semblait condamnée à brève échéance. L'une de ses tours était gravement menacée. Déjà privée de ses deux cavaliers, elle ne conserverait pas longtemps son dernier fou. Higgins s'assit en face de son adversaire qui demeura aussi inerte qu'un bloc de pierre.

Eleonora se plaça aux côtés de son époux, appuyant tendrement la tête sur son épaule.

Higgins, qui jouait avec les blancs, avança un pion. Un simple pion qui bloquerait un temps la stratégie de Freddy Elope. Ce dernier s'obstina pourtant. Il alluma une cigarette et déploya l'attaque prévue dans sa tête comme si l'ex-inspecteur-chef n'avait rien tenté.

— Depuis la mort de Sir Francis, est-il exact que vous ayez reçu chaque soir Ernie Jenssens ?

— Oui, inspecteur, répondit Eleonora Elope. Il arrive vers huit heures et repart avant dix heures. Nous parlons de tout et de rien. Lui est-il arrivé quelque chose ?

Higgins venait de mettre sa reine à l'abri. De

victime offerte à l'adversaire, son fou devint attaquant.

— Rien de grave, rassurez-vous. Pourquoi des visites aussi fréquentes ?

— Il ne s'entend pas avec sa femme, révéla Eleonora Elope. Voilà des années qu'ils se disputent. Hanna est persuadée qu'Ernie la trompe. Ce fut peut-être vrai, mais à présent... Grâce au club, Ernie passait des soirées tranquilles. Depuis sa fermeture, nous le recueillons avec plaisir.

Soutenue par les menaces que faisaient peser sur le camp adverse sa tour et son fou, Higgins lança sa reine à l'assaut. Il était particulièrement à l'aise dans le maniement de cette pièce dont la puissance avait été si bien utilisée par les meilleurs des grands maîtres. En trois coups, il mit Freddy Elope en difficulté. Si ce dernier ne trouvait pas une parade rapide, il serait échec et mat.

Eleonora Elope se détacha de son époux pour verser une tasse de tisane qu'elle offrit à Higgins. Celui-ci se leva.

— Ne vous donnez pas cette peine...

Revenant à l'échiquier, auquel il avait tourné le dos quelques secondes, Higgins eut un choc. Le fou le plus dangereux de Freddy Elope avait bougé d'une case. Cette fois, c'était l'homme du Yard qui risquait la défaite en trois coups. Sa mémoire le trompait-elle ? Probablement, car comment croire qu'un joueur d'échecs fût capable de tricher ?

— M. Jenssens a-t-il évoqué quelque détail concernant la nuit du crime ?

— Oh, non, inspecteur ! Il ne parle que de sa femme et des tourments qu'elle lui fait endurer. Le malheureux vit un vrai calvaire... Elle l'avait même menacé.

— A quel sujet ?

— Hanna acceptait plus ou moins ses sorties,

mais avait fixé une heure limite pour son retour...
dix heures dix, je crois. Ce soir, il l'a dépassée. Elle
lui avait juré d'interdire l'accès de la maison, par
n'importe quel moyen. J'ai mis Ernie en garde, je
l'ai obligé à nous quitter. A-t-elle mis sa menace à
exécution ?

— En quelque sorte. M. Jenssens vous a-t-il fait
partager quelques souvenirs du club ? A-t-il fait
allusion à ses discussions avec Sir Francis ?

— Ernie est trop sensible, expliqua Eleonora
Elope. Il préfère garder ses souvenirs pour lui.

Malgré une défense plutôt brillante, Higgins avait
perdu. Freddy Elope posa la main sur la tour qui
allait lui permettre de prononcer les mots fati-
diques.

La sonnerie du téléphone résonna.

Intriguée, Eleonora Elope décrocha.

— Allô... Oui, ici Eleonora... Comment ? Un accident ? Un accident...

Mme Elope tourna de l'œil. Higgins fut juste assez
rapide pour la recevoir dans ses bras.

CHAPITRE XII

Roulant à très vive allure dans un Londres presque désert, Eleonora Elope longea Kensington Gardens et Hyde Park pour franchir en quelques minutes la distance séparant Kensington de Mayfair. Avant de monter en voiture, Higgins s'était assuré qu'elle avait bien surmonté son malaise.

A voir l'énergie qu'elle déployait au volant, Higgins pouvait être pleinement rassuré.

Eleonora Elope freina brutalement devant l'hôtel particulier des England. Higgins faillit percuter le pare-brise. La femme du chimiste jaillit de l'autombile et, maniant le heurtoir de bronze, frappa frénétiquement à la porte, négligeant la moderne sonnette.

Le colosse empâté ouvrit.

Eleonora Elope le bouscula et s'engouffra en courant dans l'hôtel particulier. Higgins la suivit sans hâte. Dans le hall aux murs couverts de diplômes et de médailles, Sue England se tenait debout, sculpturale, dans une robe rouge à fourreau.

— Où est le petit ? demanda Eleonora Elope, éplorée.

— Dans sa chambre, répondit Sue England.

— Il est gravement blessé ?

— Non. Mais il vaut mieux que tu t'en occupes. Il te réclame.

Au sommet de l'escalier d'honneur apparut Reginald-John England, engoncé dans un smoking trop petit pour lui.

— Pourquoi avoir appelé Eleonora ? ragea-t-il. Nous n'en avons pas besoin ! Qu'elle retourne chez elle !

Eleonora Elope n'osa plus avancer. La colère de Reginald-John England la terrifiait. Elle se retourna vers Higgins dont les England découvrirent la présence.

— La police, ici ? s'indigna Reginald-John. Mais pourquoi ?

— J'ai eu un malaise quand Sue m'a annoncé que le petit avait été accidenté... L'inspecteur était chez nous. Il m'a accompagnée.

— Il n'a rien à faire chez moi, jugea Reginald-John England, dévalant l'escalier.

Eleonora Elope recula d'un pas. Higgins se plaça devant elle.

— Point n'est besoin de s'irriter, Monsieur England. Un enfant blessé mérite toutes les attentions. N'est-ce pas votre avis, Madame England ?

— Si, bien sûr que si, répondit Sue England. Venez, Eleonora. Montons dans sa chambre.

Sue England prit vivement Eleonora Elope par le bras et l'entraîna vers l'escalier. Reginald-John England, dont la fureur ne retombait pas, fit face à Higgins.

— Je ne vous retiens pas, inspecteur. Ceci est une affaire de famille, strictement privée. Elle ne relève pas de Scotland Yard.

— Nul ne le conteste, Monsieur England. J'aimerais avoir un entretien avec votre fils Andrew demain matin.

— Avec mon fils ? Mais...

— Il s'agira d'un interrogatoire dans le cadre d'une enquête criminelle. S'il y avait une raison médicale interdisant cette entrevue, faites-le-moi savoir. Je réside au club « Tradition ». Vous connaissez l'adresse.

**
*

Higgins n'avait pas sommeil. Allongé sur son lit, dans la modeste chambrette correctement chauffée, il réfléchissait aux événements de la journée. Incohérents en apparence, étaients-ils reliés entre eux ? Avaient-ils un quelconque rapport avec le meurtre ?

Les yeux fermés, l'ex-inspecteur-chef, tentait de se reposer. Il était entré malgré lui dans cette enquête qui, à présent, captivait son esprit. Toutes ses forces se mobilisaient d'elles-mêmes pour comprendre le mécanisme du meurtre, sans doute moins évident qu'il n'y paraissait et découvrir le ou les mobiles d'un crime qui le révoltait. Une fois de plus, la nature humaine affirmait sa plus grande capacité : détruire. Et il en serait ainsi jusqu'à ce qu'elle se détruise elle-même, sans laisser beaucoup de regrets dans l'univers.

Le parquet craqua. Non pas dans la chambrette de Higgins, pourvue d'un tapis, mais dans le couloir. L'ouïe très fine de l'ex-inspecteur-chef perçut le lent déplacement d'un individu qui passa devant sa porte. Higgins ne l'avait pas fermée à clé. Il s'attendait à entendre tourner la poignée. Un peu abîmée, elle grincerait. Et le visiteur nocturne entrerait, s'approcherait du lit. Qu'aurait-il choisi ? Arme à feu ou arme blanche ? On pouvait parier sur cette dernière, s'il s'agissait de l'assassin de Sir Francis Bacon.

Il serait préférable, bien entendu, de trouver assez

123

rapidement une parade. Se faire assassiner dans un club londonien n'était pas une perspective qui enchantait Higgins. Mais pourquoi attenterait-on à sa vie alors qu'il n'avait rien découvert de déterminant ?

Un cri de terreur déchira le silence.

Une porte claqua.

Higgins, qui n'avait pas quitté la robe de chambre livrée par Trouser's, se déplaça avec la promptitude d'un chat.

— Au secours ! Au secours ! hurlait Ernie Jenssens.

Devant la porte entrouverte de sa chambre, il y avait déjà Christopher, en chemise et pantalon rayé.

— Entrons, ordonna Higgins.

Ernie Jenssens était proprement ratatiné sur son lit, calé contre le mur. La fenêtre de la chambrette, largement ouverte, laissait s'engouffrer un air réfrigérant.

— Il... il est entré par là, indiqua le chirurgien, terrorisé. Donnez-moi mes pilules pour le cœur... Elles sont dans la poche arrière de mon pantalon.

Christopher trouva sans difficulté le médicament qu'absorba aussitôt Ernie Jenssens. Higgins nota que l'unique chaise de la chambrette avait été renversée, puis se pencha par la fenêtre. Elle donnait sur la rue. Pour y accéder en escaladant la façade du club, il fallait de rares talents d'alpiniste.

— A-t-on tenté de vous agresser ?

— Je crois, balbutia Ernie Jenssens... Quand j'ai crié, il s'est enfui.

— Homme ou femme ?

— Je ne sais pas, inspecteur... Je suis incapable de donner une description... Tout s'est passé si vite, dans le noir...

Higgins referma la fenêtre.

— Inutile de prendre froid. En revanche, Monsieur Jenssens, laissez votre porte grande ouverte. Je ne crois pas qu'une nouvelle agression aura lieu cette nuit, mais deux précautions valent mieux qu'une.

Christopher n'avait pas perdu une once de sang-froid. Il paraissait insensible à l'événement tragique qui venait de se produire. Ernie Jenssens respirait à nouveau normalement.

— Essayez de dormir, recommanda Higgins. Soyez tranquille : Scotland Yard veille.

**
*

A sept heures du matin, Higgins et Christopher se retrouvèrent devant un petit déjeuner frugal préparé par le secrétaire particulier du lord défunt : petits pois au bacon, toasts, marmelade.

— Voici un café pur arabica, annonça Christopher. Le préféré de Sir Francis. Une qualité réservée au club, en provenance directe du Brésil. Sans doute préférez-vous du thé.

— Ne vous donnez pas cette peine... Le café m'ira très bien.

La cuisine du club était vaste et moderne. D'ordinaire y officiaient des chefs virtuoses assistés d'un personnel nombreux et compétent.

— Je n'ai pas osé réveiller Monsieur Jenssens.

— Vous avez bien fait, Christopher. Laissons-le se remettre de ses émotions. Le sommeil est un excellent remède.

La marmelade était exceptionnelle. Higgins apprécia son moelleux. Christopher, en revanche, manquait d'appétit.

— Je ne m'habitue pas à l'absence de Sir Francis, expliqua-t-il. Il était l'âme de ce club. Il lui donnait toute sa signification. Personne ne pourra le remplacer. Désormais, il faudra s'habituer à la médiocrité.

— Vous êtes bien pessimiste...

— Non, inspecteur. La personnalité de Sir Francis était vraiment hors du commun. Par sa seule présence, il rassurait et convainquait. C'est l'un des plus grands hommes d'Etat que l'Angleterre aura connu. Mais son nom ne figurera dans aucun manuel scolaire. Il en sera très heureux.

Le café servi par Christopher avait un arôme qu'un amateur pouvait qualifier de prodigieux. Higgins en dégusta une seconde tasse. Cette journée de lundi serait fort chargée. Mieux valait prendre quelques forces avant de poursuivre l'enquête.

— J'ai retrouvé la trace du banquier qui a provoqué la colère de Sir Francis, révéla Higgins. Il a utilisé un faux nom.

— Pour quelle raison ?

— Il voulait acheter le club « Tradition ».

Un sourire égaya le visage grave de Christopher.

— Aucune chance... Tout l'or du cosmos n'aurait pas suffi.

— Et si des membres fondateurs avaient souhaité vendre ?

— Vœux pieux. D'après le règlement intérieur, Sir Francis est le seul maître à bord... Je veux dire : était. Les fondateurs lui avaient accordé leur totale confiance.

— Le soir où Sir Francis a trouvé la mort, il avait réuni tous les membres fondateurs, rappela Higgins. N'était-ce pas pour leur communiquer le résultat de son entrevue avec ce banquier ?

Christopher, le buste droit, les mains posées à plat sur la table de cuisine, réfléchit longuement.

— Cela m'étonnerait... Cette réunion était prévue bien avant que le banquier eût pris rendez-vous. Non, il y avait autre chose.

— Ne vous en a-t-il pas parlé ?

— Pas la moindre allusion. Franchement — cela dût-il vous paraître prétentieux — je m'en étonne. Certes, Sir Francis ne se montrait pas prodigue de confidences mais il ne me tenait pas à l'écart des grandes décisions concernant la vie du club.

— Peut-être s'agissait-il d'une simple fête amicale, suggéra Higgins.

— J'adopterais volontiers cette hypothèse si Sir Francis n'avait pas dîné si fréquemment avec ses vieux amis... L'heure tardive, la convocation des épouses, le secret qu'il avait voulu préserver. Voilà bien des faits troublants. Je m'égare sans doute...

— Il y a eu crime. Tant que l'assassin ne sera pas identifié, les idées les plus diverses seront bonnes à prendre.

— Les idées... suffiront-elles à découvrir la vérité, inspecteur ?

— Votre café est remarquable. A lui seul, il rend « Tradition » digne de la plus grande estime.

La banlieue industrielle de Londres n'avait rien pour attirer Higgins. Il n'appréciait ni les usines, ni leurs verrières souvent cassées, ni les rues sinistres bordées de bâtiments en brique noircie par les gaz d'échappement des voitures. A huit heures du matin, une journée d'hiver pluvieuse, le paysage aurait démoralisé le plus optimiste. L'ex-inspecteur-chef passa outre ses états d'âme.

Après avoir réglé son taxi, il franchit le portail d'entrée de l'entreprise England and England. De nombreux camions stationnaient dans une vaste cour, l'arrière acculé à un quai encombré d'une impressionnante quantité de colis gros et petits, en partance pour diverses régions du Royaume-Uni.

Un personnel nombreux chargeait les véhicules à l'aide de diables. Les bruits des moteurs de ceux qui démarraient faisait régner un vacarme effroyable.

Higgins grimpa quelques marches menant à un bureau vitré, évoquant une tour de contrôle d'où un homme en blouse blanche dirigeait les manœuvres en parlant dans un micro. Les ordres étaient propagés par haut-parleurs dans toute l'usine.

— Puis-je prendre quelques secondes de votre précieux temps ? demanda Higgins.

— Ça tombe mal... J'ai un boulot de chien.

— Je souhaitais voir votre patron, mais je crains...

— Vous voulez dire la patronne ? Elle est pas encore là. Lui, il vient pas avant midi. Et coyez-moi, il file doux.

— Il y a beaucoup de couples comme celui-là, mon ami.

L'homme en blouse blanche hurla un ordre dans son micro, évitant à deux engins de levage de se percuter.

— Les imbéciles ! Si on n'est pas sur leur dos en permanence... Qui êtes-vous, vous ?

— Scotland Yard, répondit Higgins avec bonhomie. Soyez sans crainte : une simple enquête de routine.

L'homme en blouse blanche se roula une cigarette.

— Posez vos questions en vitesse... Je suis contremaître, moi... J'ai du boulot.

— Je n'en ai qu'une, cher monsieur. Avez-vous vu M. ou Mme England en compagnie d'un homme d'une soixantaine d'années, un peu corpulent, très calme...

— Sir Francis Bacon ? Celui qui vient d'être assassiné ? Les journaux ont été plutôt discrets... Je l'ai vu plusieurs fois en compagnie de M. England, voilà deux ou trois ans. Ça fait longtemps qu'il n'est pas venu... Un as de la R.A.F., c'est ça ? En face de lui, M. England se comportait comme un petit garçon. Normal, hein ? Des gars comme ça, on n'en fait plus.

— Sir Bacon jouait-il un rôle dans la société ?

— Ben... J'en sais rien. Administrateur honoraire, ou quelque chose comme ça... Faut vous adresser à des spécialistes.

— J'y penserai, assura Higgins. Et Mme England ?

— Glaciale avec Bacon. Pas le genre de femme à jouer les seconds rôles, la patronne. L'as de la R.A.F. en jetait trop. Ça devait lui faire de l'ombre. C'est sans doute pourquoi il est pas revenu. Ah, c'est pas vrai ! Cet imbécile de camion ! Il va me percuter un container !

Le contremaître hurla à nouveau dans son micro. Cette fois, le choc fut évité d'extrême justesse. Quand il se retourna pour exprimer son indignation à l'ex-inspecteur-chef, ce dernier avait disparu.

Sue England, dans une superbe robe de chambre à volants multicolores, le dernier numéro de *Vogue International* à la main, tournait autour de Higgins, immobile au milieu du hall d'entrée de l'hôtel particulier du Square Saint-James.

— Mais ça n'a pas de sens, inspecteur ! Pourquoi voulez-vous voir mon fils Andrew ?

— Pour les besoins de l'enquête, Madame England.

— A neuf heures du matin !

— Le temps nous est compté. Il ne faudrait pas laisser l'assassin de Sir Francis s'échapper.

— Vous voulez dire... Quitter l'Angleterre ?

— Puis-je monter ? Andrew doit être réveillé.

Ce policier était si obstiné qu'il ne lâcherait pas prise avant d'avoir obtenu satisfaction. Reginald-John dormait encore. Elle devait consulter d'urgence *Vogue* pour connaître les derniers modèles. Exaspérée, Mme England céda.

— Suivez-moi. Mais que votre entretien avec Andrew soit bref.

— S'il est souffrant, il ne va pas à l'école...

— Non, mais son coiffeur vient dans un quart d'heure.

— Je ferai vite.

— Montons. Je vous accompagne.

Les murs de l'escalier étaient ornés de photos de familles représentant banquets, anniversaires, fêtes toujours présidés par Reginald-John England.

La chambre d'Andrew, contrairement au reste de l'hôtel particulier, était austère et dépouillée. Un lit, un petit bureau et une bibliothèque en bois blanc, des murs peints en vert, une fenêtre étroite donnant peu de lumière. Le petit garçon était couché, le front bandé, la pommette gauche enflée.

A ses côtés, Eleonora Elope, assoupie.

Elle sursauta.

— Qui... Ah, c'est vous, inspecteur... C'est toi, Sue... J'avais fini par m'endormir. J'ai donné un sédatif au petit. Il ne se réveillera pas avant midi.

— Désolée pour vous, inspecteur... L'entretien ne pourra avoir lieu.

— C'est sans importance, Madame England.

Higgins déchiffra le regard apeuré, presque désemparé d'Eleonora Elope.

— Je raccompagne Mme Elope, déclara Higgins d'un ton qui n'appelait pas de réplique.

Dans le hall, l'ex-inspecteur-chef éprouva la même sensation de malaise que lors de sa précédente visite. Au moment où le domestique lourdaud ouvrait la porte, Reginald-John England interpella l'homme du Yard.

— Inspecteur ! Quel plaisir de vous revoir... Vous avez été fidèle à votre rendez-vous.

— Comme d'habitude, Monsieur England.

— Avez-vous vu mon fils ?

— Il dort.

— J'aimerais que nous déjeunions ensemble.

— Pourquoi pas ?

— A treize heures, au *Great American Disaster*, à Beauchamp Place ? C'est simple, mais excellent.

— Entendu. Venez, Madame Elope.

L'ex-inspecteur-chef salua les England.

— Mon chauffeur vous raccompagne, proposa Reginald-John England.

— Trop aimable, refusa Higgins. Un taxi nous suffira.

Lorsque le taxi roula, l'ex-inspecteur-chef laissa quelques minutes à l'épouse du chimiste pour recouvrer un peu de calme. Sortant un mouchoir de son sac à main, elle essuya quelques larmes.

— A présent, murmura Higgins, paternel, vous allez me dire la vérité.

CHAPITRE XIII

Eleonora Elope alluma une cigarette.

— Quelle vérité, inspecteur... Il y a le bonheur et le malheur. On tombe d'un côté ou de l'autre, voilà tout.

— Le petit Andrew semble être tombé du mauvais côté. Comment s'est produit l'accident ?

La fumée commença à envahir l'habitacle du taxi. Higgins abaissa un peu sa vitre pour échapper à l'asphyxie.

— Les blessures sont plus spectaculaires que graves. Il sera vite sur pied.

— Vous n'avez pas répondu à ma question Madame Elope. Comment s'est produit... l'accident ?

Eleonora Elope avait perdu la gaieté naturelle qui lui donnait un certain charme. Sévère, fatiguée, elle accusait le poids des ans. Elle lutta pour retenir de nouvelles larmes.

— Andrew est tombé... dans l'escalier. Une mauvaise chute.

— Etrange... Pourquoi Sue England vous a-t-elle appelée, vous et pas un médecin ?

— Je... Je sais m'occuper d'Andrew. Nous nous aimons bien.

Les encombrements londoniens ne cessaient de s'accentuer. Le taxi manœuvrait avec habileté pour éviter d'être coincé entre deux autobus. Se frayer un chemin devenait un exploit.

— Je vois les choses autrement, dit Higgins d'une voix rassurante. Je crois qu'Andrew a été battu par son père ou par sa mère. Ni l'un ni l'autre ne lui portent une affection particulière. Ils ont fait appel à vous pour éviter qu'un médecin ne s'aperçût de leur déplorable conduite. De plus, vous êtes toujours prête à leur rendre service car vous aimez ce garçon comme votre propre fils. Je compte porter plainte. Martyriser un enfant est la plus vile des lâchetés. Seule l'homme est capable de tomber aussi bas.

Eleonora Elope, affolée, se tourna vers Higgins.

— Je vous en supplie, inspecteur, n'en faites rien !

— Je ne me suis donc pas trompé...

Elle écrasa sa cigarette dans le cendrier qui se trouvait à sa droite et, fébrilement, en alluma une autre.

— Si, vous vous égarez, je vous le jure... Andrew n'est pas un enfant martyr. C'est la première fois que son père le bat.

— Que s'est-il passé, Madame Elope ?

Eleonora Elope se détourna et baissa les yeux.

— Au cours du dîner, Andrew a contesté l'autorité de son père. Il lui a dit qu'il ne détenait pas la vérité absolue. Cela, Reginald-John ne peut pas le supporter. Il a toujours raison. L'attitude de son fils l'a fait entrer dans une violente colère. Il l'a frappé. Je crois qu'il a regretté son geste et qu'Andrew ne commettra plus la même erreur.

— Quelle fut l'attitude de Mme England ?

— J'aimerais ne pas vous répondre sur ce point...

— Le moindre élément peut me permettre de comprendre pourquoi Sir Francis a été assassiné.

Interloquée, Eleonora Elope se tourna à nouveau vers Higgins.

— Quel rapport pourrait-on établir entre l'éducation d'Andrew et la mort de Sir Francis ? Ça n'a aucun sens !

— La mort de Sir Francis n'a aucun sens... Tant que nous n'aurons pas découvert le mobile, aucune piste ne sera négligeable. Mme England a dû être terrorisée par la violence de son mari et tenter de s'interposer.

Eleonora Elope tira deux bouffées qui dégagèrent une abondante fumée. Higgins abaissa davantage la vitre. L'air londonien ne valait malheureusement guère mieux.

— Vous me faites jouer un rôle affreux, inspecteur... J'ai le sentiment d'être une moucharde.

— Ce rôle, ce sont les England qui vous l'ont donné.

— Je l'ai accepté, pour Andrew... Je n'ai pas eu d'enfant. Il a besoin d'amour. Je lui offre le mien.

— Et sa véritable mère ?

Eleonora Elope devint glaciale.

— Andrew est le fils de Reginald-John. Pendant la correction, Sue lisait *Vogue*. Elle est la femme la plus douée d'Angleterre pour imiter les robes des grands couturiers.

Comme brisée par ses propos, Eleonora Elope ne prononça plus un seul mot jusqu'à ce que le taxi la dépose devant chez elle, dans Kensington Church Street.

A dix heures sept, Higgins fut introduit dans l'immense et somptueux bureau de son ami Watson B. Petticott. La banque d'Angleterre formait un sanctuaire infranchissable pour qui ignorait les mots de passe. Ce n'était pas le cas de l'ex-inspecteur-chef que Petticott accueillit avec une joie sans mélange.

— Encore une journée banale, annonça-t-il à Higgins. Dans une demi-heure, réunion de travail avec les dirigeants du Fonds monétaire international, déjeuner avec le Premier ministre, puis audition d'interminables rapports des délégués au commerce extérieur... Toi, au moins, tu as de la chance ! Avec tes meurtres, tu as toujours du nouveau !

— C'est un point de vue, Watson. As-tu eu le temps de découvrir quelque chose ?

— Sans aucune difficulté. En m'appelant à sept heures du matin, tu m'accordais un délai largement suffisant pour décrypter la situation financière de *England and England*. Mme England est la fille unique d'un industriel luxembourgeois milliardaire. Elle a épousé un ancien camionneur, Reginald-John. Il se vante toujours d'avoir été près du peuple, d'avoir déménagé les colis et conduit les camions. En réalité, c'est un fils de petits-bourgeois qui a réussi son mariage. Le parvenu type qui cherche à suivre les traces de son épouse. A qui veut l'entendre, il proclame qu'il s'est fait lui-même et qu'il a développé seul une formidable entreprise de transport. La réalité est sensiblement différente. En devenant manager général, il a fait des investissements catastrophiques et dilapidé une grande partie de la fortune de sa femme. England and Co a failli sombrer. Heureusement pour lui, Reginald-John England a bénéficié d'une caution bancaire qui lui a permis de conserver la confiance des milieux d'affaires. Je te donne en mille le nom de celui qui lui a accordé cette caution...

Higgins avait une petite idée, mais le bon goût et

l'amitié exigeaient qu'il ne coupât point l'effet de surprise.

— Sir Francis Bacon! révéla le banquier. Amusant, non? Hélas, rien de plus... Car cette caution était toute symbolique et d'ordre purement moral. Sue England disposait des fonds nécessaires pour remettre l'entreprise à flot. Pas Sir Bacon. Mais son intervention, dénuée de tout intérêt sordide, a retourné l'opinion de quelques personnages haut placés en faveur de Reginald-John. Son épouse a profité de ce moment favorable pour créer une société nouvelle, *England and England,* dont elle a pris la direction. Reginald-John n'a pas été déchu de ses titres, mais c'est elle qui a pris en main les finances. Lui est chargé des relations publiques et des déjeuners d'affaires. Sa principale qualité est un excellent coup de fourchette et une remarquable résistance à l'alcool. Il est célèbre pour achever les repas par de l'eau-de-vie fabriquée avec ses prunes personnelles. Elle est si raide que ses interlocuteurs signent les contrats dans un total brouillard intellectuel. Ce n'est probablement qu'une légende, bien entendu.

— Comment se porte *England and England,* aujourd'hui?

— Bien. Elle a beaucoup de contrats avec l'Etat, des organismes publics et d'importantes firmes privées. Elle transporte une grande variété de produits, des plus fragiles aux plus lourds. C'est une entreprise qui compte dans le paysage économique.

— Comment M. England est-il considéré par *l'establishment?*

— Comme le parvenu qu'il est, Higgins. Il a accumulé tant de distinctions honorifiques qu'on ne sait plus laquelle lui donner. Ces derniers temps, il s'est lancé dans les œuvres charitables. Une idée de Sue. Cela allège la masse d'impôt à payer.

Pas une seule fois, Watson B. Petticott n'avait consulté le dossier qu'il avait sur son bureau.

— Je ne dispose que d'informations faciles à obtenir, précisa-t-il. Si les England se sont engagés dans quelque manœuvre frauduleuse, je l'ignore. Du moins, je l'ignore encore. C'est toi qui me l'apprendras.

— Les en crois-tu capables ?

— Difficile à dire. Reginald-John est si entiché de sa respectabilité qu'il y regardera à deux fois avant de commettre une malversation. Sa femme a une vue plutôt limitée, si tu vois ce que je sous-entends... Ce qui n'enlève rien à ses qualités de technicienne financière.

Higgins referma son carnet noir sur lequel il avait pris de nombreuses notes. Watson B. Petticott se leva.

— Connais-tu déjà l'assassin ? murmura-t-il.

— Honnêtement, non.

— Sacré farceur ! Je ne te crois pas. Je tiens à être le premier informé...

— Parole d'inspecteur, mon cher Watson.

Le Foundling Hospital avait été l'un des lieux les mieux fréquentés du Londres du milieu du dix-huitième siècle. Le grand Haendel avait été associé à la fondation de cette œuvre de charité dont les locaux étaient en partie devenus des galeries d'exposition pour les peintres. Le Court Room, après la démolition de l'hôpital, avait été reconstitué dans un immeuble moderne sis près de Brunswick Square.

Si le caractère surprenant de l'ancien édifice, mêlant le tragique d'un hôpital aux charmes de l'art, avait disparu, subsistait néanmoins une collection comprenant quelques belles pièces : une vue de Tottenham Court Road par Hogarth, le portrait du capitaine Coram, fondateur de l'hôpital, par le même peintre, une ravissante toile du jeune Gainsborough et un buste de Georg-Friedrich Haendel, l'Allemand sans qui la musique anglaise aurait été la parente pauvre de l'Europe des Lumières. Le plus délicat souvenir de ce musée très original était sans nul doute le bol à punch de Hogarth. Selon les mauvaises langues, il l'avait utilisé aussi souvent que ses pinceaux et y puisait une inspiration nettement plus chaleureuse qu'en contemplant la nature.

Higgins fut reçu par le conservateur, un jeune diplômé d'Oxford, facilement identifiable à son accent beaucoup plus snob que celui de Cambridge.

— Je suis un peu impressionné d'accueillir Scotland Yard en cet endroit voué à la culture, déclara-t-il, un peu guindé. Aurais-je commis quelque délit ?

Costume gris trois-pièces, cravate rouge aux armes d'Oxford, le conservateur possédait une distinction surannée convenant à merveille à sa fonction.

— Nous n'en sommes pas là, le rassura Higgins. Je mène une enquête de routine et j'aurais besoin de quelques renseignements... Mais pas avant d'avoir vu le chef-d'œuvre que le monde entier vous envie.

— La *Marche des Gardes* de Hogarth ?

— Exactement, approuva Higgins, qui avait plutôt songé au bol à punch.

Discuter devant un tableau détendit un peu le conservateur qui se montra moins réservé que derrière son bureau. Il disserta longuement sur le classicisme de Hogarth, son sens de la couleur dramatique, sa vision de l'Angleterre éternelle. L'ex-inspecteur-chef n'était pas ennemi de cette interprétation mais son emploi du temps ne lui autorisait que de brèves escapades picturales.

— M. Elope est, lui aussi, un fervent admirateur de Hogarth, avança Higgins.

Le conservateur haussa les sourcils.

— Freddy Elope ? Notre chimiste restaurateur ?

— Lui-même. C'est un excellent professionnel, n'est-ce pas ?

— Excellent, en effet. Quand Sir Francis Bacon me l'a recommandé, je n'ai pas hésité un instant à l'engager. Une telle recommandation... Et je n'ai pas regretté ma décision. Freddy Elope n'est guère bavard, il est vrai... A part « oui » et « non », je ne suis pas certain d'avoir entendu d'autres mots sortir de sa bouche. Mais il est minutieux, précis et n'a jamais commis la moindre erreur.

— Vous a-t-il parlé des tableaux de Sir Francis ?

— Il peint ? s'étonna le conservateur. Je l'ignorais ! Lors de notre prochaine rencontre, je lui demanderai l'autorisation de voir ses toiles.

— Ce ne sera pas facile.

— Détrompez-vous, inspecteur. J'entretiens les meilleures relations avec Sir Francis.

— Lisez-vous les journaux ? interrogea Higgins.

— Jamais, répondit le conservateur. Je ne m'intéresse qu'au passé.

— Cela peut parfois se comprendre. M. Elope travaille-t-il dans un laboratoire ?

— Bien sûr. Il se trouve à l'étage inférieur. Si vous désirez le voir, il vous faudra attendre la fin de la semaine. Vendredi dernier, il m'a demandé l'autorisation d'assister à un congrès sur la paix mondiale. M. Elope est un militant convaincu.

Le conservateur fit quelques pas. Il décrivit avec lyrisme l'entrée de la Chartreuse peinte par Gainsborough. Fraîcheur, spontanéité, jeunesse... Quoi de plus séduisant, quoi de moins académique ?

— Une galerie comme la vôtre mériterait l'attention de généreux donateurs, estima Higgins.

— Mais nous en avons un! Reginald-John England, le patron d'une grand société. C'est M. Elope qui me l'a présenté. Il nous a offert une somme importante. J'espère qu'il renouvellera son don l'an prochain.

— M. England est donc un grand amateur d'art.

— Peut-être, inspecteur. En réalité, je ne l'ai vu qu'une fois : lorsqu'il m'a apporté le chèque.

— M. Elope était-il en sa compagnie ?

— Oui... Ce fut même la seule fois où Freddy Elope a prononcé quelques phrases. Je m'en souviens, à présent. Il s'agissait d'un éloge appuyé de M. England. Ce dernier semblait fasciner M. Elope. Une sorte de... vénération. Un peu comme dans les scènes d'adoration des mages. Avez-vous apprécié le style de mon buste de Haendel ?

— Je reviendrai pour éprouver d'autres émotions aussi fortes que celles-ci, assura l'ex-inspecteur-chef. Un conseil, si vous m'y autorisez : lisez les journaux à partir de jeudi. Vous aurez des nouvelles d'un passé très récent. Il vous intéressera peut-être.

Le *Great American Disaster*, à Beauchamp Place, à un jet de pierre de chez Harrods, n'était pas l'un des restaurants que fréquentait volontiers Higgins. Cadre moderne, homme d'affaires, jeunes loups de haute société, quelques intellectuels dont un personnage entièrement vêtu de cuir noir.

Reginald-John England se leva dès qu'il vit entrer Higgins et le guida jusqu'à la table qu'il avait réservée.

— Installez-vous confortablement, inspecteur ! Mes félicitations pour votre ponctualité... C'est une qualité qui se perd. Vous verrez, la nourriture est excellente. Maître d'hôtel ! Deux coupes de champagne... Vous me faites confiance, inspecteur? J'ai composé un menu qui vous plaira.

— Le quartier est charmant, dit Higgins. L'amosphère de cette petite rue demeure presque villageoise... C'est l'avantage de votre métier, Monsieur England. Vous connaissez nombre de bons endroits.

— Grandeur et servitude de la profession, inspecteur. Sans arrêt des repas d'affaires, ce n'est pas excellent pour la ligne! Cela nécessite une hygiène de vie, de la gymnastique quotidienne, bref du dynamisme et du punch! Car la vie, inspecteur, c'est le mouvement. Vous êtes forcément d'accord avec moi, inspecteur?

— C'est selon, Monsieur England. Je suppose que ce déjeuner n'est pas sans motif.

— Ah! La méfiance traditionnelle de Scotland Yard! Je vais vous étonner : c'est uniquement par sympathie que je désirais vous rencontrer dans une ambiance décontractée. Le bureau est souvent oppressant... On n'y est pas soi-même.

Un serveur pressé et sans grande distinction posa sur la table des assiettes contenant des coquilles Saint-Jacques au Madère et une bouteille de Muscadet.

— Un vin français qui vous réveillerait un mort, commenta Reginald-John England.

— Même Sir Francis Bacon?

— Quel triste événement, inspecteur... Aucun de ses amis ne s'en remettra. Le temps atténuera la peine, mais ne l'effacera pas. Seule la justice, une fois rendue, nous donnera des raisons d'espérer. Mais la vie continue... Est-ce que votre enquête avance?

— Trop lentement à mon gré, Monsieur England.

— Impossible de retrouver le rôdeur, évidemment...

— Il demeure un fait troublant qui retient toute

l'attention du Yard : M. Dean a été le premier témoin sur les lieux du drame. Il a manipulé l'arme du crime qu'il avait lui-même réparée, la rendant ainsi efficace et dangereuse. Cela fait beaucoup de coïncidences aux yeux du superintendant Marlow.

— Vous n'allez tout de même pas soupçonner ce pauvre Jasper de meutre !

Reginald-John parut ébahi. Il ne jeta même pas un œil au salmis de cailles nappé d'une confiture de fraises que le maître d'hôtel déposa devant les convives.

— Mes amis Jasper, Ernie et Freddy ont un point commun : ils ne feraient pas de mal à une mouche, assura le transporteur. Freddy et moi avons été scouts ensemble. Il rendait service à tout le monde. Pas bavard, je vous l'accorde, mais dévoué et serviable.

— Vous êtes indirectement son employeur, précisa Higgins.

— De quelle manière ?

— Par les fonds que vous versez au Foundling Hospital.

— Ah, vous êtes au courant... Je n'aime pas trop la publicité autour des actions charitables... Enfin, c'est vrai. J'aide la peinture. Mais Freddy n'a pas besoin de moi pour vivre à l'aise. C'est un excellent chimiste.

— Il vous admire beaucoup.

— N'exagérons rien. J'ai été son chef scout et nous nous entendons bien depuis toujours. J'ai mieux réussi que lui, c'est indéniable, mais il n'est pas jaloux. Pour revenir à Jasper Dean, c'est un homme droit comme un i. Son existence est un parcours sans faute... A l'exception de sa femme, Ruth. Quelle pimbêche ! Jamais un sourire. Froide comme de la glace. Elle l'a souvent réduit à l'état de petit garçon.

— A-t-elle eu des comportements... que la morale réprouverait ?

— Elle ? Vous voulez rire, inspecteur ! Aucune originalité, vêtement passe-partout, régime diététique. Mon vieux copain Ernie n'est pas mieux loti, notez bien.

Le salmis de caille ne devait pas être une spécialité du chef. La confiture de fraises lui était nettement supérieure, bien qu'elle pâtit d'un arrière-goût artificiel. Quand au Muscadet, il avait assez mal supporté la traversée du Channel.

— Mme Jenssens m'était pourtant apparue comme une personne charmante.

— Charmante, Hanna ? Une hystérique, oui ! Avec sa musique de folle et ses gris-gris, elle me ferait presque peur. Et d'une jalousie féroce, avec ça ! Elle ne laisse jamais en paix ce malheureux Ernie. Il est contraint de respecter des horaires rigoureux, qu'il s'agisse de se lever, de déjeuner, de sortir ou de... enfin, vous me comprenez. C'est un saint, cet homme-là. Avec sa sensibilité, je me demande comment il peut la supporter depuis tant d'années.

— Les êtres humains sont parfois bien difficiles à comprendre, Monsieur England. M. Elope me semble beaucoup mieux loti que vos deux autres amis, heureusement pour lui.

Reginald-John England mangeait et buvait avec une rapidité excessive. L'arrivée d'un fromage blanc à la menthe n'éveilla pas l'appétit de l'ex-inspecteur-chef.

— Eleonora est une drôle de bonne femme, jugea le transporteur. Elle a été la secrétaire de ma femme, mais elle manque d'envergure, comme Freddy, d'ailleurs... Ce sont d'honnêtes petits bourgeois. J'étais heureux d'associer Freddy à la rénovation du Club « Tradition ». Ça l'a sorti de son milieu. Il a fréquenté des gens plus huppés que lui. J'ai pu conforter sa place au Foundling Hospital et je ne désespère pas de le faire entrer au Rotary. Si Eleonora le laisse faire...

— L'empêche-t-elle à ce point de choisir son mode d'existence ?

— C'est une castratrice. Sous ses dehors aimables c'est une femme redoutable et têtue. Aucun moyen de la faire changer d'avis. Et intoxiquée... Plus de deux paquets de cigarettes par jour. Aucune volonté. Moi, j'ai réussi à m'arrêter de fumer et je ne supporte plus la tabagie. Ma femme a dû se séparer d'Eleonora parce qu'elle ne correspondait plus au profil du poste. Nous avons besoin d'un personnel plus représentatif.

L'île flottante, que Reginald-John absorba à coups de cuillère nerveux, inquiéta Higgins par la blancheur excessive de son teint et le jaune trop agressif du liquide baignant ses côtes.

— Je suppose qu'à la suite du renvoi d'Eleonora Elope, vos relations avec son mari se sont quelque peu détériorées.

— Pas du tout, inspecteur. Nos deux épouses sont d'ailleurs restées très amies.

— A cause du petit Andrew.

— Entre autres choses... Sue et moi avons le sens de la famille. C'est la plus grande des valeurs humaines. La famille et l'entreprise, voilà la vérité, inspeteur. Croyez-en mon expérience.

— Je n'ai pas le droit d'être crédule, Monsieur England, C'est le contraire à mon éthique professionnelle.

— Vous m'êtes vraiment très sympathique, inspecteur ! Vous ne prenez pas votre dessert ? A moins que vous ne préfériez mon alcool de prune. J'en ai toujours un flacon sur moi.

— Un café suffira à mon bonheur.

— Il faudra que je vous fasse visiter mon usine... C'est passionnant. J'ai tout organisé moi-même. Demain, les transports England seront l'une des premières firmes de ce pays. J'espère que vous résidez à Londres un certain temps...

— Hélas non, répondit Higgins. L'enquête doit être menée rapidement. Ma collaboration sera de courte durée. J'espère néanmoins disposer d'assez de loisirs pour honorer votre invitation.

— Vous serez toujours le bienvenu... Pardonnez-moi de vous quitter si tôt. Un rendez-vous urgent. L'entreprise n'attend pas. Et la vie, c'est le mouvement !

Reginald-John England bouscula le maître d'hôtel sans s'excuser et quitta le *Great American Disaster*.

Higgins repoussa la tasse de café dans lequel il avait eu tort de tremper les lèvres. Il était faisandé, comme le reste.

CHAPITRE XIV

L'oignon de Higgins marquait un peu plus de quatorze heures quand il salua le Bobby de faction devant l'entrée du club « Tradition ».

La porte d'entrée s'ouvrit sur un Scott Marlow furibond.

— Où étiez-vous passé, Higgins ? Nous collaborons, vous semblez l'avoir oublié !

Higgins passa outre ce doute odieux.

— Disposez-vous d'éléments nouveaux, superintendant ?

— Jasper Dean reste mon meilleur suspect.

Les deux policiers s'installèrent dans la bibliothèque où Christopher travaillait, toujours aussi concentré et indifférent au monde extérieur.

— Avez-vous les photos prises par l'identité judiciaire ? demanda Higgins. J'aimerais voir la position dans laquelle a été retrouvé le corps.

« Il est temps d'y penser », jugea Scott Marlow. Higgins menait trop souvent ses enquêtes hors de toute logique.

— Les meilleurs analystes du Yard les ont examinées, Higgins. Elles ne nous apprennent pas grand-chose, sinon que Sir Francis Bacon a été frappé dans

147

le dos à quatre reprises et qu'il s'est affalé sur son piano.

Le cadavre avait été photographié sous tous les angles. Dans la mort, le maître de « Tradition » avait conservé une surprenante dignité.

— Qu'en concluez-vous, Higgins ?

— Rien encore, mon cher Marlow. Je conserve celle-ci.

La photographie ne montrait que le buste de la victime et s'attachait à la position des bras. Le droit pendait le long du corps. On ne voyait pas la main. Le gauche, comme cassé, gisait sur le clavier.

— Bizarre...

— Qu'est-ce qui est bizarre, Higgins ?

— Je ne sais pas encore, mais je trouverai. Pour le moment, je suis pressé.

— Où courez-vous encore ?

— Ah... Un détail qui pourrait vous intéresser. J'ai identifié un fondé de pouvoir, un certain Jacob Berner qui s'est présenté à Sir Bacon sous un faux nom pour tenter de lui acheter le club.

Scott Marlow fronça les sourcils.

— Un faux nom ? Qu'est-ce que ça signifie ?

— Ce Berner souhaitait être discret.

— A-t-il un alibi pour le soir du crime ?

— A vrai dire... non.

Le souffle manqua au superintendant.

— Et vous me dites ça maintenant ! Avait-il intérêt à tuer Sir Francis Bacon ?

— D'une certaine manière... Sa carrière risque d'être compromise par son échec. Il a été éconduit par Sir Francis. De là à devenir un criminel...

Le rouge de la colère monta aux joues du superintendant.

— Au contraire, Higgins ! C'est un excellent mobile ! Un type qui utilise un faux nom a forcément beaucoup de choses à cacher. Donnez-moi son adresse. Je l'arrête.

Higgins la chercha dans son carnet noir et la donna à Marlow.

— N'est-ce pas un peu précipité, superintendant ? Berner n'a pas d'alibi, mais nous n'avons pas de preuve.

— Je préfère tenir que courir. Avec un gaillard de cet acabit-là, j'aurai un criminel présentable ! Je suis convaincu que nous tenons le bon fil... Même si Berner n'est pas le criminel, il est forcément complice. Je le ferai parler. Et je vous jure que cette affaire sera bientôt résolue.

Higgins s'inclina devant la détermination de Scott Marlow. Ce dernier ne perdit pas une seconde. Higgins prit un peu de repos. Il se prépara un café dans la cuisine où apparut Ernie Jenssens.

— Vous êtes rentré, inspecteur ! bougonna-t-il de sa voix rocailleuse. Bonne chasse ?

— Quelques morceaux du puzzle, Monsieur Jenssens. Comment vous sentez-vous ?

— J'ai dormi comme une souche. M'offrirez-vous du café ?

— Bien volontiers. Quand regagnez-vous votre foyer ?

— D'ici deux à trois jours, inspecteur... Quand Hanna sera calmée. Je ne tiens pas à subir de mauvais traitements. Le club est un havre de paix. Il sera toujours trop tôt pour le quitter.

— Profitez-en, Monsieur Jenssens.

— Vous repartez déjà ?

— Le puzzle comporte beaucoup de morceaux.

Quand Higgins, un quart d'heure plus tard, prit un taxi pour se rendre à l'atelier de Jasper Dean, il ne prit pas garde à la petite voiture noire qui décolla du trottoir et prit en filature le véhicule transportant l'homme du Yard.

L'atelier de Jasper Dean, situé non loin de Smithfield Market, occupait un immeuble d'apparence bourgeoise. Près de l'entrée était apposée une plaque : « Tourisme Social ». Higgins sonna. Une secrétaire plutôt pimpante lui ouvrit.

— Nous ne travaillons pas avec des particuliers, et...

— Scotland Yard. Prévenez M. Dean que l'inspecteur Higgins désire le voir.

— Vos papiers, exigea-t-elle, très sèche.

Tandis qu'une caméra le filmait, Higgins montra patte blanche. La secrétaire fit venir un homme armé qui conduisit Higgins au bureau de Jasper Dean, une vaste pièce ressemblant à un musée où, sur des étagères et dans des vitrines, étaient exposées des armes anciennes.

— Inspecteur ! Je ne vous attendais pas...

Higgins regardait de droite et de gauche.

— Vous admirez mes collections... Amateur d'armes ?

— Pas spécialement. Je n'en ai jamais porté.

— Je vous comprends... Moi aussi, je suis un apôtre de la non-violence. « Qui fait périr par l'épée périra par l'épée », dit l'Ecriture. Elle a raison, comme toujours. Si les hommes l'écoutaient davantage, ils commettraient moins de folies.

— C'est probable, Monsieur Dean. Cet endroit est protégé comme une forteresse.

— Quelques précautions élémentaires, précisa le fabricant d'armes de sa curieuse voix éraillée. C'est ici que mon bureau d'études a été installé. Comme il travaille pour l'Etat, une certaine discrétion s'impose.

150

— Vous occupez-vous uniquement de la conception d'armes, Monsieur Dean ?

— C'est largement suffisant ! A d'autres l'industrialisation et la commercialisation.

— Vous fabriquez tout de même des prototypes ?

— Pour les armes légères, oui...

— Et vous les livrez au ministère de la Guerre pour expertise ?

— En effet. Vous êtes remarquablement renseigné...

— Qui assure ce transport très spécial ?

— Mon ami England... Y aurait-il un problème ?

— Aucun. Quant à mes renseignements, il ne s'agit que de déductions à partir d'articles du *Times*. Presque tous les secrets d'Etat sont dévoilés dans les journaux, de nos jours.

— C'est ma foi vrai... J'ai même eu un reportage, ici, et on a publié des photos avec l'aval du gouvernement. Vous ne vous asseyez pas ?

— Merci... Une vieille habitude. J'aime arpenter les lieux que je découvre.

Pistolets, revolvers, fusils et même tromblons composaient le décor quotidien où travaillait Jasper Dean. Entre les armoires vitrées, des sous-verre contenant des psaumes bibliques.

— Comment se déroulent vos tractations avec les autorités de l'église anglicane ?

— Plutôt bien, répondit Jasper Dean. Je suis certain que ma croisade aboutira. Dieu nous guide, inspecteur.

— Le ciel vous entende. Il y a un point de détail qui me tracasse...

— Lequel, inspecteur ?

— Le transporteur, est-ce vous qui l'avez choisi ou l'Etat vous l'a-t-il imposé ?

La question de Higgins fit l'effet d'un coup de poing. Jasper Dean ressembla brusquement à un

151

boxeur groggy. Il ouvrit une armoire, à droite de son bureau, y prit une boîte contenant des pilules roses et en avala deux. Deux minutes furent nécessaires pour recouvrer un peu de calme.

— Le mensonge est un péché... Dieu est témoin que je me conforme à ses préceptes. Autant vous dire une vérité que vous auriez découverte, de toute façon... Mon entreprise est presque déficitaire. Si je n'avais pas l'Etat comme client, j'aurais fait faillite depuis longtemps. Or, les contacts avec les organismes officiels, c'est Reginald-John qui les a, pas moi. S'il me retirait son appui, ce serait la ruine.

— Pourquoi agirait-il ainsi ?

Jasper Dean gratta son grand nez busqué.

— Nous sommes de vieux amis, il est vrai... Mais Reginald-John est parfois pénible à supporter, surtout quand il se prend pour Dieu le Père ! Il veut être le chef, il veut seulement...

— Qu'est-ce qui motive votre restriction ?

— Sa femme, Sue. Chez England and England, c'est elle qui commande parce qu'elle détient les cordons de la bourse. Reginald-John est un petit garçon devant elle. Alors, il faut bien qu'il compense. Il y a les réunions de famille du weekend, imposées aux plus lointains cousins. Sue laisse Reginald-John les présider, mais elle le marque de près. Heureusement pour lui, il y a les déjeuners d'affaires où il réussit à faire croire à leurs futurs clients qu'il est le grand chef. Après, ils passent entre les mains de Sue.

Higgins s'arrêta devant un sous-verre abritant un parchemin où avaient été inscrites les paroles de l'Ecclésiaste : « Vanité des vanités, tout n'est que vanité. » Il n'y avait probablement pas de meilleure définition de la condition humaine.

— Quand vous avez fondé le club dans sa nouvelle formule, interrogea l'ex-inspecteur-chef, l'un de vous quatre a-t-il contesté l'autorité de Sir Francis Bacon ?

— Pas le moins du monde. Moi, je l'admirais. C'était un juste au regard de Dieu. Mon vieux copain Ernie me suivait. Reginald-John craignait Francis. Et Freddy, comme d'habitude avait la même opinion que Reginald-John, son ancien chef scout. Nous avons donc désigné Francis comme président à vie de « Tradition » en lui laissant toute liberté de manœuvre. Nous n'avons pas eu à le regretter. Nos investissements ne pouvaient être mieux placés.

— Qui va diriger le club de manière effective ?

— Je l'ignore. Nous n'y avons pas encore pensé. Une direction collégiale assurera l'intérim. Puis il faudra élire un nouveau président. Les candidats ne vont pas se bousculer. Nous sommes tous les quatre beaucoup trop occupés. Il faudra prendre quelqu'un de représentatif. Mais qui peut avoir été assez fou pour assassiner Francis ?

— La folie n'est sans doute pas seule en cause, Monsieur Dean.

Il était dix-sept heures trente-deux lorsque Higgins pénétra dans un immeuble vieillot de Coptic Street, non loin du British Museum. L'immeuble ne comportait pas d'ascenseur. Il grimpa jusqu'au dernier étage, constatant avec plaisir que son arthrose du genou le laissait en paix. La grippe, en revanche, poursuivait ses ravages sournois. L'atmosphère polluée de Londres et son cortège de virus devenaient de plus en plus difficiles à combattre. Quatre nouveaux grains d'Influenza permettaient à l'homme du Yard de poursuivre son marathon.

La porte à laquelle il frappa était ornée d'une

carte de visite fixée avec une punaise. Elle annonçait que l'occupant de l'appartement était Son Eminence l'Evêque Mercurios, patriarche copte d'Hermopolis.

Une jeune fille au teint fortement hâlé et au gracieux sourire entrebâilla la porte.

— Son Eminence est-elle visible ?

— De la part de qui ?

— Scotland Yard.

Le sourire de la jeune fille se figea.

— La police ? Mais...

— Rassurez-vous mademoiselle. Je désire un simple renseignement technique.

— Entrez, inspecteur... Je vais voir si Son Eminence peut vous accorder un entretien.

L'appartement de l'évêque d'Hermopolis était un véritable sanctuaire, rempli d'images pieuses, de crucifix, de livres saints écrits en copte. Un délicat parfum d'encens charmait les narines. On était brusquement transporté hors de Londres, loin du xxe siècle, dans une sorte de grotte où l'apparition du Christ n'aurait guère surpris.

Ce fut la servante de Son Eminence qui réapparut. Elle introduisit l'ex-inspecteur-chef dans une pièce sombre, éclairée par cinq grandes bougies. Sur un trône siégeait l'évêque Mercurios, vêtu d'une robe noire.

— Votre Eminence est bien bonne de me recevoir aussi promptement, déclara Higgins.

— Aider la police de Sa Majesté est un devoir sacré.

— Chacun sait que vous êtes le meilleur expert en magie de ce côté du Channel... J'aimerais avoir votre avis sur la fonction d'un objet. En voici le dessin.

Higgins ouvrit son carnet à la page où il avait

154

croqué avec précision la croix retrouvée sur les lieux du crime.

Sans cérémonie, Son Eminence se tâta le menton.

— Vous avez reproduit exactement les entailles, inspecteur ?

— Oui, Votre Eminence.

— La croix est-elle de couleur rouge ?

— En effet.

— Sauriez-vous si, a un moment ou à un autre, elle a été placée sur la main ou le pied gauche d'un individu de sexe masculin ?

— Le pied.

— Ne cherchez plus, inspecteur. Il s'agit d'une croix de désenvoûtement. Fabrication douteuse, efficacité non garantie. Du travail d'amateur. En tout cas, ça ne provient pas d'une officine sérieuse.

— Que Votre Eminence soit remerciée au nom de Sa Majesté.

— Et que Dieu continue à veiller sur l'Angleterre, inspecteur.

La nuit était tombée sur Londres. Big Ben marquait sept heures du soir. Au sommet de la tour abritant la plus célèbre horloge du monde brillait une lumière indiquant que le parlement était en session. Higgins, de son côté, retourna dans le quartier de Soho pour y rencontrer à nouveau Hanna Jenssens.

Cette dernière n'était plus couchée en travers de la porte, mais écoutait encore les *Maîtres Chanteurs* de Richard Wagner, en buvant du thé et en dégustant des *scones*. Elle reçut fort aimablement Higgins, non sans s'être cognée dans un fauteuil mal placé que sa myopie ne lui avait pas permis de détecter.

— Avez-vous retrouvé mon mari, inspecteur ?

— Il est en sécurité, chère madame. Un léger refroidissement l'empêche de se déplacer mais il vous reviendra très prochainement. C'était la bonne nouvelle que je venais vous apporter.

— Tant mieux, déclara-t-elle de sa voix aiguë et mordante. Je craignais que Sue ne lui ait mis son grappin dessus.

— Mme England ? s'étonna Higgins. Une femme d'affaires si respectable ?

— Hmmm... Elle me hait, mais je la hais aussi.

— Les England forment un couple très uni, m'a-t-il semblé.

— C'est ça, c'est ça... N'empêche...

La petite femme vêtue de brun se mit à siffloter un air de la *Walkyrie,* se rendant d'ailleurs coupable de plusieurs fausses notes et d'un manque absolu de mesure.

— Vous en savez long, Madame Jenssens. Si vous vous confiez à moi, je serai muet comme une tombe. Une femme aussi perspicace que vous ne peut garder pour elle ses découvertes.

Le sifflotement cessa.

— C'est vrai ? Vous me jugez perspicace ?

— Il n'y a pas de meilleur terme.

— Alors, je vais vous dire... Sue England s'était amourachée de Sir Francis. Elle aurait bien lâché son Reginald-John... Mais ce vieux bourru de Francis n'a même pas fait attention à elle. Elle a fait mille et une avances, il est resté de marbre. De vous à moi, il la prenait pour une idiote. Elle en a été vexée, vous n'imaginez pas à quel point ! Et si elle l'avait tué pour se venger ?

Hanna Jenssens jubilait. Wagner continuait à déployer ses déclamations que l'oreille mozartienne de Higgins supportait avec abnégation.

— Votre mari perd-il souvent ses boutons, Madame Jenssens ?

— Sans arrêt, gémit-elle. Sur lui, ils ne tiennent pas. Il faut les recoudre dix fois par mois. C'est pourquoi je lui en glisse toujours un ou deux dans ses poches.

— Lors de la fouille à laquelle vous avez été soumise, poursuivit Higgins, le superintendant a trouvé sur vous une épingle dorée. A quel usage la destiniez-vous ?

La petite Hanna Jenssens se leva, raide et furieuse.

— Sortez immédiatement de chez moi !

Higgins n'avait pas lutté. La réaction de l'épouse du chirurgien ne l'avait pas autrement surpris. Rentrant dîner au club, il demeurait des plus sceptiques sur l'issue de sa propre enquête. Il suivait un chemin, allait jusqu'au bout, croyait découvrir un élément important et s'en revenait déçu. Les pièces du puzzle ne s'emboîtaient pas les unes dans les autres. Il n'y avait aucune logique dans cette affaire.

Il demeurait un témoin essentiel que Higgins n'avait pas encore suffisamment interrogé : Sir Francis Bacon lui-même.

CHAPITRE XV

A vingt heures, Higgins et Scott Marlow dînèrent en tête à tête dans la cuisine du club. Ernie Jenssens, se plaignant d'une douloureuse migraine, était monté se coucher. Christopher, qui s'était contenté d'un rapide en-cas, travaillait dans la bibliothèque.

Higgins avait lu et relu le rapport du médecin légiste.

— Un doute sur l'heure de la mort ?

— Non, superintendant. C'est sur la puissance et la précision des coups que je m'interrogeais. Un très précis et mortel, dans le dos ; un autre mortel, mais porté au hasard, semble-t-il ; les deux autres moins violents. Quatre blessures pour un meurtre. Voilà ce qu'il nous faut déchiffrer.

Marlow mastiqua avec entrain un sandwich au pâté de canard, arrosé d'un bourbon passable.

— Je reconnais que la reconstitution du meurtre ne sera pas aisé mais l'important est d'avoir un suspect. J'ai fait arrêter le banquier qui aime tant se promener sous un faux nom. Pas le moindre alibi pour l'heure du crime. Le fait est là, Higgins.

— Les faits sont une chose, mon cher Marlow. L'intuition en est une autre. Ne confondons pas les deux. Parfois, on dispose de beaucoup d'indices et l'intuition ne vient pas. Le contraire peut également se produire. Ayons une pensée circulaire et ne nous précipitons pas en ligne droite vers l'obstacle. Ce n'est jamais le meilleur chemin. Il vaut mieux tourner en rond autour du mystère et pénétrer à l'intérieur en le prenant par surprise.

Scott Marlow ne répliqua pas. Quand Higgins partait dans ces élans mystiques qui n'avaient aucun rapport avec les exigences scientifiques de la police moderne, il n'écoutait plus et attendait la fin de la perturbation.

— Votre suspect a-t-il parlé ?

— Ce Jacob Berner est un têtu, dit le superintendant. Il nie toute participation au crime, toute complicité.

— C'est ennuyeux...

— Ennuyeux, mais pas irrémédiable. Il craquera. C'est un type faible.

— Je n'en suis pas si sûr que vous... Têtu, rappelez-vous. S'il persiste à nier et si nous n'avons pas de preuve contre lui...

Ce que Marlow détestait chez Higgins, c'était cette manie d'insister sur des détails gênants qu'il aurait mieux valu passer sous silence.

— Avez-vous un meilleur coupable à me proposer, Higgins ? Souhaitez-vous que je me rabatte à nouveau sur Jasper Dean ? J'ai eu des renseignements intéressants sur lui... L'ordinateur central du Yard l'a identifié comme l'un des fournisseurs en armes lourdes de l'Etat.

— Légères, rectifia Higgins.

— Pardon ?

— En armes légères, mon cher Marlow. Une erreur de programmation, sans doute. Avant de vous occuper à nouveau de M. Dean, n'oubliez pas que vous m'avez accordé jusqu'à demain soir.

160

Il était un peu plus de vingt et une heures lorsque Eleonora Elope servit à l'ex-inspecteur-chef une tisane de fleur d'oranger. Assis devant le feu, Freddy Elope leur tournait le dos, lisant une revue spécialisée consacrée aux produits chimiques utilisés dans la restauration des œuvres d'art.

— Comment va le petit Andrew ?

— Bien, inspecteur. J'ai passé l'après-midi avec lui. Il m'a juré qu'il ne critiquerait plus son père. Tout va s'arranger.

— Je vous importune pour une raison bien précise... Lors de la fouille pratiquée au club, on a trouvé sur M. Elope un gant en caoutchouc très fin. Etrange, non ?

— Pas du tout, inspecteur... Il utilise quantité de gants semblables pour son travail. C'est moi qui les lui achète. Il est si distrait qu'il en aura oublié un sur lui, même pour sortir.

— C'est bien votre interprétation des faits, Monsieur Elope ?

Le chimiste hocha affirmativement la tête, sans cesser de lire.

— Avez-vous progressé, inspecteur ? s'enquit Eleonora Elope.

— Moi, non, mais le superintendant Marlow, oui. Il est maintenant persuadé d'avoir identifié le coupable. Ou, du moins, son principal complice.

— De qui s'agit-il ?

— D'un banquier plutôt louche. Peut-être s'est-il introduit dans l'hôtel particulier pour y assassiner Sir Francis. Il nous reste à le prouver. Merci pour cette excellente tisane, je vous laisse... Ah ! Une dernière question. Comment s'est déroulé votre congrès en faveur de la paix dans le monde, Monsieur Elope ?

— Bien, répondit Freddy Elope.

— Vous m'en voyez ravi. Passez une bonne soirée.

*
**

Higgins entra dans le salon de musique un peu avant vingt-deux heures. Il s'assit devant le piano et ferma les yeux pendant de longues minutes. C'était précisément à cet endroit que Sir Francis Bacon avait été assassiné. L'ex-inspecteur-chef se concentra. Il fallait qu'il revive, du moins partiellement, cet horrible moment.

Allumant la lumière, il regarda attentivement la photographie qu'il avait conservée.

Higgins souleva le couvercle du piano et prit l'attitude de la victime.

Alors, il comprit. Le sentiment d'incohérence qu'il avait éprouvé devant la posture du cadavre se dissipa. Sir Francis Bacon aurait dû avoir la main droite posée sur le piano. L'assassin avait fait pendre le bras droit dans le vide. Mais dans quelle intention, sinon pour dissimuler un ultime message que le maître de « Tradition » aurait laissé par la position de ses doigts ?

Higgins se pencha sur les touches de la partie droite du piano. Elles étaient d'un ivoire magnifique, un peu usé. Un examen très attentif lui permit de repérer une légère coloration brune sur trois touches correspondant à un ré, un fa et un fa dièse.

L'homme du Yard ne se trompait pas. C'étaient bien là d'infimes traces de sang séché. Higgins enfonça les touches. Entre le mi et le fa, il décela ce qu'il crut être une poussière blanche. Il hésita à la chasser. Bien lui en prit. Il s'agissait plutôt d'une minuscule parcelle de tissu ou de quelque chose de semblable. L'ex-inspecteur-chef le recueillit entre deux pages de son carnet.

Qu'avait voulu dire Sir Francis en enfonçant ces touches-là ? A supposer qu'il ne s'agisse pas d'un simple hasard... Pourtant, Higgins avait l'intuition qu'il progressait sur un chemin beaucoup plus sûr que les précédents. Presque machinalement, l'ex-inspecteur-chef laissa courir ses doigts sur le clavier, égrenant les premières notes du mouvement lent du vingt-troisième concerto de Mozart.

Sans être un excellent pianiste, Higgins n'avait jamais produit de sons aussi laids. La qualité du piano ne pouvait être mis en cause. Un Steinway à queue aurait dû avoir une sonorité parfaite. L'ex-inspecteur-chef tenta un nouvel essai, sur l'ensemble du clavier. Les sons les plus graves étaient corrects, mais le reste... On aurait juré que le piano était complètement désaccordé.

Il n'y avait qu'une seule explication possible : des corps étrangers entre les cordes.

Higgins souleva complètement le couvercle et se pencha pour voir ce qui se trouvait à l'intérieur du piano.

La trouvaille avait de quoi le satisfaire. Des bijoux, des portefeuilles, des sacs à main, des montres, des carnets de chèques, deux liasses de billets de banque. Prenant un à un les précieux indices, Higgins les étala sur le tapis.

Plusieurs problèmes se posaient. Fallait-il les rendre immédiatement à leurs légitimes propriétaires ? Il décida que non. Ensuite, avait-il moralement le droit de fouiller dans les sacs à main des dames et dans les portefeuilles de leurs maris ? Il estima que oui, puisque l'assassin, ou un éventuel complice, pouvait être l'un d'eux.

Un rapide examen lui prouva qu'il s'agissait bien

des objets volés aux fondateurs du club « Tradition » et à leurs épouses. Les bijoux, bagues, clips et colliers, étaient de qualité moyenne. Les portefeuilles ne contenaient que des papiers d'identité, des cartes professionnelles et un peu d'argent liquide. Dans les sacs à main des dames, rien de révélateur : produits de beauté, miroirs, également des pièces d'identité.

Un seul détail parut saugrenu à Higgins. La présence de deux biscuits fourrés, à moitié écrasés, au fond du sac de Mme Dean. Higgins goûta des miettes. Elles avaient un fort arôme de noix de coco.

Rien de décisif, en fin de compte, malgré la cachette insolite. Après l'excitation de la découverte survint une période de découragement. Qui avait dissimulé ces objets ? Ou, plus précisément, qui avait pu les dissimuler ici ? Ces questions stimulèrent la réflexion de l'ex-inspecteur-chef qui s'en voulut d'avoir été abattu quelques instants. La grippe, sans nul doute.

Higgins frappa doucement du poing sur le piano. Comment avait-il pu être aussi aveugle ? Tant de réponses étaient là, si claires, si lumineuses. Le mécanisme du crime commençait à devenir enfin compréhensible. Il manquait encore des clés, mais il savait lesquelles et entrevoyait la manière dont il pourrait les trouver.

Christopher leva la tête lorsque Higgins pénétra dans la bibliothèque du club.

— Toujours au travail ?

— Il le faut bien, inspecteur... Le club doit continuer à vivre. Entre la comptabilité, la gestion du personnel et la préparation des prochaines soirées, je n'ai guère de loisir.

— Y a-t-il beaucoup de téléphones dans la maison ?

— Une bonne vingtaine de postes. Nos hôtes ont souvent besoin d'appeler et ils ont horreur d'attendre. Il y a des appareils à tous les étages.

— Je vais vous poser une question particulièrement importante, Christopher... Faites appel à votre mémoire et réfléchissez avant de me répondre. Le soir du crime, avez-vous servi aux invités des biscuits fourrés à la noix de coco ?

— A la noix de... Non, inspecteur. Je suis sûr que non.

— Parfait. Je suppose que le superintendant est rentré au Yard ?

— C'est ce qu'il m'a dit, en effet.

Higgins sortit de la bibliothèque et s'installa dans l'un des salons cossus et confortables où les membres du club lisaient le *Times* en paix. Après trois essais infructueux, dus à des erreurs du standard de Scotland Yard, il obtint le bureau de Scott Marlow.

— J'ai du nouveau, annonça-t-il.

— Sur le banquier ?

— Non, mais c'est au moins aussi intéressant. J'ai retrouvé les objets volés aux invités de lord Francis.

— Où ça ?

— Soyons discrets au téléphone...

— J'arrive tout de suite. Je veux les voir.

Higgins raccrocha.

Une dizaine de minutes plus tard, alors qu'il se préparait une infusion au rhum blanc pour lutter contre la fièvre, le téléphone sonna.

Christopher vint le prévenir.

— C'est pour vous, inspecteur. Urgent et confidentiel. Désirez-vous prendre l'appel dans la bibliothèque ?

— Passez-le-moi dans le premier salon, à gauche du hall.

Quand l'ex-inspecteur-chef colla le récepteur à son oreille, il entendit une voix sourde et déformée. Impossible de savoir s'il s'agissait d'un homme ou d'une femme.

— Inspecteur Higgins... venez immédiatement à Buther's Wharf... le bâtiment d'angle... au rez-de-chaussée... Je vous reconnaîtrai. Si vous voulez savoir la vérité sur la mort de Sir Francis, ne perdez pas une seconde... Je n'attendrai pas.

Higgins ne pouvait patienter jusqu'à l'arrivée de Scott Marlow. Son imperméable sur le bras, il quitta le club en courant. Il eut la chance de trouver très vite un taxi.

— Butler's Warf, indiqua-t-il en claquant la portière.

Le chauffeur se retourna, dévisageant son client.

— On ne va plus jamais jusque-là, monsieur. C'est interdit. On démolit. Vous risqueriez de recevoir une poutrelle ou des briques sur la tête.

— Déposez-moi au plus près.

— Vous avez vraiment l'intention d'aller là-bas ?

— Je n'ai pas le choix. Roulons, voulez-vous ?

Le taxi démarra, s'enfonçant dans la nuit neigeuse.

CHAPITRE XVI

Près du pont de Londres était accosté le *Belfast*, bateau de la Royal Navy dont les superstructures étaient peu à peu recouvertes de neige. Higgins avait un assez bon souvenir des docks où il avait réussi à ramener un jeune homme sur le bon chemin (1). Mais dans cette nuit glaciale qui réveillait ses douleurs aux genoux, il avait presque peur. Le Butler's Wharf était l'un des endroits les plus sinistres des quais de la Tamise. Le brouillard, se mêlant aux fumées, cachait les grues, les entrepôts et les tas de charbon. Emergeant de l'ombre, des immeubles de brique aux vitres brisées dressaient leurs squelettes au bord de l'eau, vers laquelle descendaient des escaliers aux marches glissantes. Bientôt, ces lieux sinistres ne seraient plus qu'un souvenir, si l'on croyait les édiles londoniens et leur programme de grands travaux. Mais on en parlait depuis si longtemps...

La neige, le brouillard et les immeubles en ruine étouffaient les bruits. On se serait cru très loin de Londres, de ses lumières, de ses rues où circulaient des voitures et où marchaient des êtres vivants.

(1) Voir *Meurtre au British Museum*.

167

Higgins n'aurait peut-être pas dû laisser repartir le taxi.

L'ex-inspecteur-chef passa sous une passerelle métallique que des rafales de vent faisaient grincer. Il faillit heurter un réverbère cassé en deux, s'engagea dans une ruelle étroite, laissa sur sa gauche un escalier rouillé menant vers un toit.

Un bruit de pas, derrière lui, le fit se retourner. Il s'arrêta quelques secondes, écouta. D'autres bruits, indistincts, hantèrent la nuit. Une forme sembla passer derrière une fenêtre pourvue de barreaux.

Higgins repartit, plus lentement. Il songea aux bandes de criminels qui, au siècle passé, avaient élu domicile dans ces docks où ils ne craignaient pas l'irruption de la police. A lui seul, cette nuit, il représentait Scotland Yard, ce qui lui apparaissait vraiment trop honorifique. La qualité primait parfois la quantité mais, en l'occurrence, Higgins n'aurait pas dédaigné une escouade de Bobbies.

Lorsqu'il parvint au lieu de rendez-vous, Higgins poussa un soupir de soulagement. Le plus dur restait à faire, mais il fallait savoir profiter des bons moments. L'immeuble d'angle menaçait ruine. L'entrée était encombrée de gravats, de détritus et de briques cassées.

L'ex-inspecteur-chef enjamba l'obstacle et s'aventura dans le rez-de-chaussée dont le sol était jonché de débris.

— Je suis là, dit Higgins d'une forte. Répondez.

Seule une bourrasque de vent se fit entendre, brisant l'un des derniers carreaux encore en place.

— Je suis là, répéta Higgins. Montrez-vous.

Un sifflement strident traversa les ténèbres.

— Attention ! hurla une voix puissante. Couchez-vous !

Higgins obéit sans réfléchir, passant outre la violente douleur qui enflamma ses genoux, peu habitués à des mouvements violents. Certaines situations d'urgence exigeaient, hélas, que l'on perdît quelques onces de dignité. Quelques instants plus tard, un effroyable vacarme emplit l'espace empuanti de l'immeuble désaffecté.

Une main charitable aida Higgins à se relever.

Celle de la vieille clocharde qui résidait d'ordinaire sur une bouche de chaleur près du club « Tradition ».

— Je vais vous guider pour traverser ce nuage de poussière, dit-elle. Ce n'est pas un endroit pour vous, ça...

La clocharde guida Higgins jusqu'à un brasero autour duquel étaient regroupés plusieurs clochards.

— Dès que vous êtes entré sur notre territoire, nous vous avons suivi, expliqua-t-elle et je crois que ça vous a sauvé la vie. On a repéré un type qui courait sur les passerelles, là-haut... D'après mes gars, il a tenté de vous écrabouiller sous une énorme boule de fonte. Vous l'avez échappé belle.

— Auriez-vous rattrapé ce peu recommandable personnage ?

— Il s'est enfui. Agile comme un lapin.

— Sans être trop exigeant, auriez-vous une description, même vague ?

La clocharde se dressa du haut de sa fierté, sa bande de fidèles derrière elle.

— Vous connaissez mal mes hommes, inspecteur. Pour tenir dans ce froid, il faut boire. Et boire beaucoup. Quand les humeurs sont réchauffées, le froid attaque moins la peau. L'ennui, c'est que la vue se trouble. Si nous pouvions décrire le salopard qui voulait vous faire passer l'arme à gauche, nous le ferions. Mais nous ne le pouvons pas...

Higgins s'approcha du brasero.

— Me feriez-vous l'honneur de m'offrir une tasse de votre remontant ?

— Je n'osais vous le proposer, dit la clocharde avec des allures de grande dame.

L'ex-inspecteur-chef espérait absorber quelque chose de fort pour se remettre de ses émotions. Il ne fut pas déçu. Quoique la nature du breuvage ne fût pas identifiable, Higgins oublia les intérêts de sa vésicule biliaire et but sans retenue.

— Vous êtes un homme courageux, constata la clocharde. Savez-vous que vous êtes suivi ?

— Une petite voiture noire ?

— C'est ça. Garée devant la bouche de chaleur. Elle décolle derrière votre taxi. Un type avec des lunettes noires et une casquette rabattue sur les oreilles. Il ne veut pas être reconnu...

— Sans grande importance, estima Higgins. Je le retrouverai facilement. C'est probablement le même homme que celui qui a tenté de me supprimer.

— J'aimais bien le lord qui a été trucidé, déclara la clocharde. Je vous aime bien aussi. Si on cherche à vous refroidir, c'est que vous avez découvert l'assassin...

— C'est bien possible, répondit Higgins. Mais vous n'avez pas à partager les risques avec moi.

De retour au club « Tradition », tard dans la nuit, Higgins fut accueilli par un Scott Marlow en proie à la plus vive inquiétude.

— Que s'est-il passé, Higgins ? Où aviez-vous disparu ? Je m'apprêtais à vous faire rechercher !

— Un incident mineur, superintendant.

Higgins révéla à Marlow la cachette où avaient été déposés les objets volés aux fondateurs du club et de leurs épouses mais lui demanda de les laisser en place jusqu'au soir. Il se montra intraitable sur ce point, malgré l'insistance de Marlow. La présence d'un policier en uniforme devant la porte du salon de musique empêcherait toute mauvaise surprise.

Puis l'ex-inspecteur-chef remit au superintendant le minuscule fragment de tissu — ou, du moins, ce qu'il identifiait comme tel — soigneusement conservé entre les pages de son carnet. Il pria le superintendant de faire diligence pour obtenir des résultats d'analyse. Bougon, Scott Marlow accepta de se rendre lui-même au laboratoire central du Yard pour éviter tout retard administratif.

Higgins confia une dernière tâche à son collègue : convoquer à vingt heures, au club, toutes les personnes concernées par cette affaire.

Scott Marlow parti, Higgins ne songea même pas à prendre un peu de repos. Il avait trop de travail : relire l'ensemble de ses notes, les classer en fonction du fil conducteur qu'il avait découvert, détecter les lacunes, savoir comment les combler.

Le travail de l'alchimiste commençait. Il fallait transformer la matière première de l'enquête en solution incontestable, refuser tout a priori, laisser la vérité se dégager d'elle-même. Ce que Higgins entrevoyait était monstrueux. Il n'osait tirer encore une conclusion définitive. Un meurtre, certes... Mais un meurtre où la bassesse humaine avait dépassé les bornes de l'horreur.

Quand l'aube se leva, neigeuse, l'ex-inspecteur-chef venait d'achever sa démonstration. Il ne lui restait plus qu'à vérifier quelques détails pour s'assurer qu'il ne s'égarait pas et comprendre le point de départ du mécanisme infernal qui avait conduit au meurtre.

Allongé sur son lit, Higgins s'accorda une heure

de repos avant de procéder à ses ablutions matinales. Puis il se vêtit d'une chemise sur mesure, d'un pantalon de flanelle gris perle et d'un blazer bleu nuit portant l'écusson de Cambridge.

Avant le petit déjeuner, il appela une nouvelle fois son ami Petticott pour lui demander la position du compte bancaire de Christopher, le secrétaire particulier du défunt lord. L'indication ne fut pas longue à obtenir. La fortune de Christopher s'élevait à quatre-vingt-neuf livres.

Dans la cuisine, Higgins eut droit à une surprise. Christopher, précisément, avait laissé un message à l'intention de l'ex-inspecteur-chef.

J'ai besoin de vous voir, avait-il écrit, *mais pas au club. J'ai une confession à vous faire. Rendez-vous à la Nationale Portrait Gallery, sous Shakespeare, à 10 h 30. Pardonnez-moi pour cette procédure.*

Higgins gardait un souvenir mitigé de son dernier rendez-vous, mais celui-ci lui paraissait moins dangereux. La National Portrait Gallery n'avait que peu de points communs avec les docks.

Ernie Jenssens n'était pas encore levé. Higgins n'avait pas fait plus de bruit qu'un chat. Il s'accorda un plaisir exquis avant de reprendre la route : boire un café très chaud devant un feu de bois. Tôt le matin, c'était le meilleur moyen de se nourrir d'une douce chaleur et de préparer l'esprit au travail.

Alors qu'il craquait une allumette pour enflammer la boule de papier qu'il avait disposée sous les bûches, Higgins prit conscience d'une anomalie. Depuis dimanche, et sans doute depuis le soir du meurtre, Christopher n'avait pas fait de feu dans la cheminée. Un oubli ou une intention délibérée ?

Higgins ramassa les cendres et les déposa dans un classeur en carton qu'il emprunta à Christopher. Il le remit à un policier en uniforme, le priant de le faire parvenir à Scott Marlow. Cette tâche terminée, il fit naître les flammes qui l'enchantaient autant à chacune de leurs apparitions. « La vie ressemble à la flamme, avait écrit Harriett J. B. Littlewoodrof dans son poème sur la fin du monde ; celui qui désire la connaître doit méditer sur cette flamme. » Tantôt blanche et brillante, tantôt noire et bleue, elle se transmutait sans cesse elle-même se perdant et se retrouvant, puisant en elle-même sa propre substance. Ne révélait-elle pas que tout brûlait dans le même faisceau, que les multiples aspects de la création étaient liés dans la même unité ?

Dans la flamme qui montait, Higgins vit un visage.

Celui de l'assassin.

*
**

Si la National Gallery connaissait la faveur des touristes, la National Portrait Gallery, en revanche, était souvent déserte. La distance ne jouait pourtant aucun rôle puisque la seconde était située juste derrière la première, dans Charing Cross Road. Le palais italien de 1895 qui abritait les collections avait un aspect plutôt agréable. A dix heures et vingt-cinq minutes, Higgins entra dans ce sanctuaire de l'histoire britannique où, comme l'avaient remarqué les historiens de l'art, n'était pas conservé une collection de grands portraits mais de portraits de grands hommes. Fussent-ils peints par des tâcherons ou des artistes sans grand talent, les gloires de la civilisation anglaise étaient présentes ici, réunies dans le même silence éternel.

Sous le portrait de Shakespeare se tenait Christopher, le secrétaire particulier de Sir Francis. Vêtu d'un costume sombre qu'égayait à peine une cravate d'un rouge profond. Il portait toujours un pansement à la nuque.

— Emouvant portrait, dit Higgins en contemplant le visage de Shakespeare.

Grand front, moustache, barbe, lèvres sensuelles, yeux curieux, inquisiteurs... Le plus grand dramaturge de tous les temps avait un visage étrange. Ni beau ni laid, un anneau à l'oreille gauche, il continuait à observer le monde pour y découvrir de nouveaux sujets de comédie et de tragédie.

— C'est le seul portrait de Shakespeare réalisé de son vivant, indiqua Christopher, mal à l'aise.

— Un véritable grand homme, reconnut Higgins. Son génie ne lui a pas apporté la fortune. Je me demande s'il avait plus de quatre-vingt neuf guinées à sa disparition.

Le secrétaire particulier baissa la tête.

— Vous avez vérifié mon compte en banque... C'est normal. Je voulais vous parler de la grosse somme d'argent liquide que l'on a retrouvée sur moi, lors de la fouille.

— J'ai été patient, Christopher. Me voici récompensé.

— Je ne voulais pas aborder ce sujet au club, inspecteur. C'était un secret entre Sir Francis et moi... En le dévoilant, j'ai l'impression de trahir.

— C'est pourtant indispensable. D'où provient cette somme ?

— C'est Sir Francis qui me l'a donnée, le soir même du crime. Sans un mot.

— En échange de quel service ?

— Un tableau... ou plus exactement la troisième partie d'un tryptique flamand qu'il cherchait depuis de nombreuses années. J'ai eu la chance de le trouver, ce dernier élément, chez un antiquaire, dans Regent Street et je... je...

Christopher hésitait. Higgins, pour ne pas interrompre sa confession, leva les yeux vers Shakespeare.

— Je lui ai offert cette partie du tryptique, avoua le secret particulier. J'y tenais absolument. C'était pour moi un point d'honneur, une façon de lui signifier ma reconnaissance et mon admiration. Il n'a pas pu refuser, mais je l'ai senti contrarié.

— Vous aviez vidé votre compte en banque, n'est-il pas vrai ?

— Ce genre d'œuvre vaut un certain prix, inspecteur...

— Sir Francis a tenu à vous rembourser sous forme d'une prime exceptionnelle. Vous avez été obligé d'accepter.

— Je ne voulais pas...

— Elle vous appartient, Christopher. Mais où se trouve le tryptique ?

— Dans la bibliothèque, derrière des reliures. Vous devez vérifier, bien entendu...

— Bien entendu. Si nous y allions ?

— J'aimerais rester seul, inspecteur. Le tryptique est replié derrière les reliures rouges pleine peau, sur la seconde étagère des œuvres de Shakespeare en partant du haut.

— Nom de l'antiquaire ?

— Bodley and Sons.

— Quand revenez-vous au club ?

— En début d'après-midi, répondit Christopher. Inspecteur ? Ce fut très délicat pour moi de vous apprendre la vérité. Pourrait-elle demeurer... confidentielle ?

— Je ne peux vous le promettre.

Derrière les reliures contenant les œuvres de Shakespeare, au rayon indiqué par Christopher, Higgins trouva bien un petit tryptique protégé par un étui. L'œuvre représentait un sourcier, baguette en main, cherchant de l'eau dans un désert. Le style était austère, mais les couleurs avaient conservé une surprenante fraîcheur. L'antiquaire, joint au téléphone, confirma l'achat de Christopher.

Alors qu'il se préparait un café dans la cuisine, Higgins vit apparaître Ernie Jenssens.

— Quelle heure est-il ? demanda le chirurgien d'une voix pâteuse, à peine audible.

— Quatorze heures, répondit Higgins et nous sommes mardi.

— Je n'ai jamais dormi comme ça... Je crois que je rattrape des années de sommeil. A cause de Hanna, je fais de l'insomnie.

— Une boisson chaude vous fera du bien. Profitez du calme de ce club.

— Vous partez ?

— Soyez sans crainte, Monsieur Jenssens. Nous nous reverrons.

Il était quatorze heures trente quand Higgins, sortant du club, croisa Christopher qui y rentrait. L'ex-inspecteur-chef lui demanda de ne plus quitter « Tradition ».

Sur la bouche de chaleur, le locataire de la clocharde dormait à poings fermés.

La petite voiture noire avait disparu.

Higgins prit un taxi jusqu'à Beauchamp Place, le fit s'arrêter non loin de l'immeuble où résidaient les Dean, et demanda au chauffeur de patienter. Malheureusement, la glace le séparant de son passager était restée ouverte.

— Vous attendriez pas quelqu'un ? demanda ce dernier.

— Ce n'est pas impossible, répondit l'ex-inspecteur-chef.

— Votre dame, je suppose... elle fait des bêtises, hein ? J'ai l'habitude ? Soyez pas trop sévère avec elle. Les femmes, ça a des lubies. Puis ça leur passe. Faut parfois comprendre... Moi, la mienne, c'est pas mieux que les autres. Si je vous racontais...

Higgins subit le début du récit qu'il n'écouta que d'une oreille distraite, préférant fixer son attention sur la porte de l'immeuble d'où sortit Ruth Dean vers quinze heures. Elle héla un taxi.

— Suivez cette voiture, ordonna Higgins.

— Je l'avais bien dit, murmura le chauffeur. C'est une femme... Mais elle est pas toute jeune. Enfin, chacun ses goûts...

Ruth Dean fit plusieurs courses dans Piccadilly, lécha de nombreuses vitrines et, à l'heure du Tea Time, entra au *Ritz*. Elle se retourna, jetant des regards à droite et à gauche.

— Méfiante, hein ? remarqua le chauffeur de taxi. Vous allez avoir du mal... C'est comme moi.

— Que Dieu vous garde, dit Higgins en le réglant.

Higgins laissa s'écouler quelques minutes avant d'entrer à son tour dans le prestigieux établissement. Il demanda aussitôt à voir James. Il lui décrivit Ruth Dean et lui demanda si elle venait souvent prendre le thé au *Ritz*.

— Tous les jours, inspecteur... Sauf votre respect, je l'ai repérée à cause d'une particularité : elle s'empiffre de gâteaux. J'ai rarement vu une telle gourmandise. C'est un véritable spectacle, d'autant plus qu'elle ne semble pas prendre un gramme.

— Ceci explique peut-être cela, avança Higgins.

— Tous les jours... Sauf un.

— Que voulez-vous dire ?

— C'était jeudi dernier... Impossible de me tromper. Elle n'a mangé qu'un gâteau, tellement elle était préoccupée. Elle nous a volé le spectacle, en quelque sorte.

177

— Connaîtriez-vous le motif de cette préoccupation ?

— Je crois bien, inspecteur. Il s'agissait de deux messieurs qui prenaient le thé à deux tables de la sienne. Elle n'a pas cessé de les regarder. Elle se dissimulait au mieux en abaissant le bord de son chapeau.

— Pouvait-elle entendre leur conversation ?

— A cette distance, probablement.

— Connaissez-vous ces deux messieurs ?

— L'un d'eux seulement. Un notaire, Maître Clough. Un habitué. Une vieille étude dans Old Bond Street.

Maître Clough était un notaire à l'ancienne mode. Costume sombre aux rayures blanches, gilet noir à gousset, large cravate, boutons de manchette en or. Il reçut Higgins avec quelques réticence.

— Scotland Yard ! Scotland Yard ! Vous croyez que ça m'impressionne ? La police est toujours pressée... Et ma clientèle ? Vous pensez qu'elle a du temps à perdre ?

Les cheveux blancs, les épaules carrées, Maître Clough portait allègrement sa soixantaine. Les murs de son bureau étaient couverts de photographies d'avions de chasse.

— Je ne vous importunerai pas longtemps, aussura Higgins. Etiez-vous au *Ritz*, à l'heure du thé, jeudi dernier ?

— Ça ne vous regarde pas, répondit sèchement le notaire.

— On vous y a vu, insista Higgins. Vous discutiez avec quelqu'un.

— Ça ne vous regarde pas davantage.

— Vous ne m'aidez pas beaucoup, déplora l'ex-inspecteur-chef.

— Le Yard n'a qu'à se débrouiller tout seul. Chacun son métier.

Higgins se leva, regarda les photographies, s'arrêta devant l'une d'elle où l'on voyait deux aviateurs se congratulant et fêtant leur victoire au champagne.

— A mon avis, vous étiez en compagnie de cet homme-là. Votre camarade de la R.A.F. pendant la guerre. Un héros, comme vous. Sir Francis Bacon.

Maître Clough chaussa ses lunettes et compulsa ses dossiers.

— Inventez ce qui vous plaira, mais sortez d'ici. J'ai du travail.

Higgins s'approcha du bureau.

— Maître, j'ai besoin de votre aide. Une affaire criminelle n'est pas une bagatelle.

Maître Clough leva vers l'ex-inspecteur-chef un regard étonné.

— Une affaire criminelle ? En quoi cela me concerne-t-il ?

— Etiez-vous brouillé avec Sir Francis ?

— Qu'est-ce que vous racontez... Francis est un camarade de guerre et l'un de mes plus anciens clients.

— Ignorez-vous... qu'il a été assassiné ?

Le notaire se leva.

— Assassiné ? Vous vous moquez de moi ?

— Ne lisez-vous pas le *Times*, maître ?

— Ni le *Times* ni aucun autre journal. Pas le temps. Et je n'écoute pas la radio. Vous avez vu ces piles de dossier ? Si je ne m'en occupe pas moi-même, rien n'aboutira ! Assassiné, disiez-vous... Mais alors, Francis est mort ?

— Je le crains, dit Higgins. Pourquoi vous avait-il donné rendez-vous au *Ritz* ?

— Pour me parler de sa succession à la tête du club « Tradition ». Il m'a indiqué que la présidence ne reviendrait à aucun des membres fondateurs et qu'il déposerait bientôt son testament entre mes mains... Demain matin à dix heures, pour être précis. Mais alors... Il ne viendra pas...

La détresse du notaire faisait peine à voir.

— Pendant votre discussion, au *Ritz*, avez-vous eu la sensation d'être... épiés ?

— Quelques chose comme ça, en effet. Une femme, qui se cachait derrière son chapeau. J'ai eu l'impression qu'elle cherchait à entendre notre conversation.

— Sir Francis l'avait-il remarquée, lui aussi ?

— Impossible à dire. Il ne montrait jamais ses émotions. Assassiné... C'est impossible... Il faut tuer celui qui a fait le coup !

— Il faut d'abord l'identifier, Maître.

Les dernières clartés du couchant répondirent une lumière pâle dans les branchages dénudés des arbres ornant les jardins du Gray's Inn. Une éclaircie tout à fait inattendue avait déchiré les nuages.

Higgins, mains croisées derrière le dos, se promenait à pas lents en ces lieux où Francis Bacon, l'homonyme du lord assassiné, avait planté un catalpo, utilisant une bouture que Sir Walter Raleigh avait rapportée de la lointaine Amérique.

C'était l'un des endroits calmes de la capitale, suspendu entre le passé et l'avenir. Higgins regarda venir la nuit, tandis que la lumière sur le meurtre éclairait peu à peu son esprit. Il avait besoin de ce moment de méditation pour mettre définitivement au point sa stratégie.

D'une certaine manière, la chance l'avait servi.

L'assassin avait commis des erreurs. C'est en les reliant entre elles que Higgins avait commencé à comprendre le « comment » du meurtre. Quant au « pourquoi », il avait de quoi écœurer le policier le plus aguerri.

Bientôt, l'âme de Sir Francis Bacon reposerait en paix. Higgins lui devait la vérité.

CHAPITRE XVII

Les Elope arrivèrent au club les premiers, puis les Dean, en compagnie de Hanna Jenssens qu'ils étaient passé chercher ; enfin les England, lesquels demandèrent à leur chauffeur de se garer et de les attendre.

De la fenêtre de sa chambrette, Higgins remarqua leurs attitudes. Les Elope marchaient lentement, côte à côte. Hanna Jenssens avait pris le bras de Ruth Dean, très raide, ignorant son mari. Sue England avait grimpé les marches avec vaillance, devançant son époux.

Le policier en faction tenant ouverte la porte du club.

Scott Marlow accueillit ses hôtes.

— Qu'est-ce que cela signifie ? demanda Sue England, très irritée. Je ne suis pas à la disposition de la police. J'ai une affaire à diriger, moi !

— Et moi, un cadavre sur les bras ! rétorqua vertement Scott Marlow.

Sue England, effarée, se tourna vers son mari.

— Qu'est-ce que c'est que ce malotru ! Reginald-John, interviens !

Reginald-John England, vêtu d'un costume bleu sombre, se campa devant le superintendant.

— Ni ma femme ni moi n'avons l'intention de rester ici. Nous avons un dîner, ce soir. Inutile d'essayer de nous retenir davantage.

— Allons, allons! dit la voix rassurante de Higgins. Ne nous énervons pas... le superintendant et moi-même tenions simplement à nous entretenir avec vous tous.

— Pour quelle raison? demanda Ruth Dean, pincée.

— Pour examiner des faits nouveaux, répondit Higgins.

— Lesquels? interrogea Jasper Dean.

— Il nous faut précisément du temps pour les préciser. Je vous propose de nous installer dans le salon de musique.

Eleonora Elope eut un mouvement de recul. Elle se réfugia dans les bras de son mari.

— Dans le salon de musique... Mais c'est là que...

— Que Sir Francis Bacon a été assassiné, précisa Higgins.

— Tout ça ne m'intéresse pas, intervint Hanna Jenssens, gesticulant. Ce que je veux, moi, c'est revoir mon mari immédiatement!

— Il arrive, précisa Higgins.

Ernie Jenssens descendait l'escalier. Il s'arrêta au milieu des marches, étendant les bras comme un naufragé espérant recevoir une bouée.

— Hanna! Tu me pardonnes! J'ai eu si peur...

— Nous verrons ça plus tard, dit son épouse, pointue. En attendant, cesse de te rendre ridicule.

Soumis, le chirurgien rejoignit ses amis. Il les salua avec émotion.

— Comme je suis content de vous revoir!

— Nous aussi, Ernie, assura Eleonora Elope. Tu habites ici?

Le regard furibond de Hanna Jenssens interdit à son mari de s'étendre sur ce terrain.

— Le salon de musique est prêt, indiqua Scott Marlow. Quand les mondanités seront terminées, nous pourrions passer aux choses sérieuses.

Sue England haussa les épaules.

— Outre le fait de subir les attaques incongrues du Yard, demanda Reginald-John England, ironique, quel est exactement le sens de notre présence ici ?

— La vérité, répondit Higgins, rien que la vérité. Otez donc vos manteaux et venez vous installer.

— La vérité sur quoi ? s'enquit Sue England.

Son intervention jeta un tel froid que Higgins se sentit obligé d'intervenir rapidement.

— Permettez-moi de vous débarrasser, chère madame.

Sue England adressa à l'ex-inspecteur-chef une sorte de sourire enjôleur.

— Faites, mon ami.

L'épouse du transporteur portait un manteau de vison d'un parfait moelleux. Suivant l'exemple de Sue England, les hôtes du club « Tradition » se mirent à l'aise. Ruth Dean portait une robe grenat très stricte, Hanna Jenssens son éternel ensemble brun, Eleonora Elope un tailleur gris. Sue England leur jeta un œil amusé, vaguement supérieur. Dans sa superbe robe du soir, elle les rejetait dans les ténèbres de la médiocrité. Le cou orné d'une rivière de diamants, un diamant à la main gauche, elle était sans conteste la femme la plus éblouissante de la soirée.

— Eh bien, allons-y puisqu'il faut y aller ! recommanda Jasper Dean. Demain, j'ai une rude journée et j'ai déjà sommeil.

Tous grimpèrent l'escalier menant au premier étage. Le policier en faction devant la porte du salon de musique s'effaça pour les laisser entrer, Sue England en tête.

185

Elle prit place sur un siège à dos droit, face au piano. Son mari resta debout, à ses côtés. Les Jenssens s'assirent à l'opposé, sur le canapé circulaire. A la droite d'Hanna Jenssens, debout devant un candélabre, Ruth Dean afficha son habituelle raideur. A la gauche d'Ernie Jenssens, Jasper Dean choisit un fauteuil recouvert de velours rouge. Les Elope, un peu gênés, posèrent leur séant sur le grand tabouret placé devant la harpe, semblant ainsi pris entre deux feux.

Christopher entra et salua l'assemblée. Imitant Sue England, qui n'avait pas coutume de parler aux domestiques, personne ne lui répondit. Il demeura près de la porte. De l'autre côté de celle-ci veillait le superintendant Marlow qui dévisageait avec sévérité les suspects. Il n'aimait aucun d'entre eux et avait envie de les déclarer tous coupables et complices. Il ne lui manquait qu'une bonne preuve.

Higgins, très concentré, s'adossa au piano à queue. A la réflexion, ce n'était pas l'enquête la plus difficile qu'il avait eu à mener. Des indices nets, des erreurs monumentales... Mais aussi des mobiles tellement sordides qu'il avait envie de retrouver au plus vite son chat Trafalgar pour dialoguer sur les beautés de la vie, loin de la race humaine. Malheureusement, l'ex-inspecteur-chef ne disposait d'aucune preuve tangible pour appuyer sa démonstration. Comme souvent, il faudrait jouer des faiblesses des uns et des autres. Mais cette tâche, compte tenu de l'hypocrisie ambiante, s'annonçait plutôt incertaine.

— J'ai souhaité vous réunir ici, commença Higgins, car cette pièce a vu les derniers instants de l'homme que vous admiriez tous, Sir Francis Bacon. Je vous propose de respecter une minute de silence en son honneur.

Sans trop y croire, Higgins espérait que le

remords ferait son œuvre et provoquerait des aveux spontanés. Christopher ferma les yeux. Les autres baissèrent la tête, à l'exception de Sue England. Chacun garda une immobilité absolue.

Scott Marlow ne perçut aucune attitude révélatrice. Higgins disposait-il vraiment des armes nécessaires pour remporter la bataille qu'il avait décidé de livrer ? Parfois, l'ex-inspecteur-chef faisait l'équilibriste sur un fil tendu au-dessus d'un précipice et se lançait dans le brouillard avec une témérité que le superintendant désapprouvait.

Cette fois, Scott Marlow était plus inquiet encore.

Si Higgins échouait, la carrière du superintendant serait fortement compromise. Bien sûr, il tenait un banquier véreux, mais ce dernier refusait d'avouer. A dire vrai, Marlow était de moins en moins convaincu de sa culpabilité. Bref, le spleen l'envahissait. Une sorte de désespoir qui empêchait son esprit de progresser sur la piste du crime.

Le superintendant décida de se reprendre. Les officiers de l'armée des Indes, dont le souvenir devait demeurer présent à la mémoire de chaque Anglais, avaient connu des moments aussi difficiles. Encerclés par l'ennemi, certains avaient vaincu, sabre au clair ; d'autres étaient tombés, sans peur et sans reproche. L'honneur de Scotland Yard exigeait un engagement comparable.

La minute de silence ne procura pas le nom du coupable. Mais elle permit à Scott Marlow de redevenir lui-même.

— « Tradition » n'est pas un club comme les autres, dit Higgins, semblant contempler le tapis et se parler à lui-même. Chacun d'entre vous sait parfaitement qu'il servait de terrain de rencontre à des personnalités très influentes et que Sir Francis était le maître d'œuvre de leurs négociations.

— Je n'en avais qu'une idée très approximative,

objecta Ruth Dean. Dois-je vous rappeler, inspecteur, que les femmes ne sont pas admises dans ce club ?

— Votre mari ne vous parlait-il pas de ses soirées ici ?

— Fort peu. J'ai parfois droit au détail des menus, à un vague discours sur la qualité du whisky et à la citation de noms d'hommes politiques qu'il a rencontrés. Rien de plus.

Higgins se tourna vers le fabricant d'armes.

— Est-ce exact, Monsieur Dean ?

La voix rauque résonna de manière presque sinistre dans la pièce à la remarquable acoustique.

— Moins on en dit, inspecteur, mieux on se porte.

— Et vous, Madame Elope ? Etiez-vous mieux informée ?

Eleonora Elope répondit « non » d'un hochement de tête.

— Madame Jenssens ?

La petite voix aiguë de l'épouse du chirurgien se fit sifflante.

— Ces affaires d'hommes me dégoûtent, inspecteur. Il n'est question que d'argent et de sexe. Ils seront tous punis par le Seigneur.

— Reginald-John m'a toujours tout raconté en détail, déclara spontanément Sue England. J'avais posé cette condition pour qu'il continuât à rester membre du club. Nous ne sommes plus à une époque où les femmes sont traitées comme du bétail ou prisonnières dans un gynécée.

— Fort intéressant, apprécia Higgins. Que pensez-vous du rôle de « Tradition » ?

— Nettement surestimé. J'organise chez moi des dîners beaucoup plus huppés. Les hommes entre eux, vous savez... Ils croient leurs propos très importants et dérivent sans cesse sur des niaiseries.

— N'exagérons rien, recommanda Reginald-

John, énervé. Tu sais fort bien que les rencontres organisées par Francis ont souvent débouché sur de graves décisions.

— Si tu veux, lui accorda-t-elle, jouant avec sa rivière de diamants.

Higgins, mains croisées derrière le dos, s'écarta du piano et commença à marcher de long en large dans le salon de musique, sans regarder personne.

— C'est ennuyeux, Monsieur England...

— Qu'est-ce qui vous trouble, inspecteur ?

— Le fait que vous ayez transmis des informations confidentielles à votre épouse. Il y a peut-être dans le lot des secrets d'Etat qui n'auraient pas dû sortir d'ici.

— Rassurez-vous, inspecteur, intervint Christopher.

Higgins s'arrêta mais demeura dos tourné au secrétaire particulier du lord que Scott Marlow dévisageait sans complaisance.

— Pourquoi cette tranquillité d'esprit ? demanda Higgins.

— Je vous l'ai déjà indiqué, inspecteur. Les rencontres les plus importantes avaient lieu dans ce salon, soit en présence de Sir Francis, soit entre les intéressés eux-mêmes. Ni M. England ni ses amis n'y ont assisté.

— Voilà qui me rassure, constata l'ex-inspecteur-chef, qui reprit son parcours sans fin. J'ai supposé un instant que le meurtre de Sir Francis avait peut-être une cause... politique.

Scott Marlow ne jugea pas l'hypothèse absurde. Elle lui avait effleuré l'esprit dans les premières minutes de l'enquête, mais il avait préféré la rejeter de peur qu'elle fût exacte. En ce cas, en effet, aucune possibilité d'aboutir sans provoquer d'énormes vagues.

— En réalité, reprit l'ex-inspecteur-chef, ce crime

189

est purement crapuleux. Crapuleux à un point que je n'osais pas imaginer.

Scott Marlow soupira. Une crapule était plus facile à arrêter qu'un homme politique, même honnête.

— C'est exactement ce que je pensais, souligna Ernie Jenssens de sa parole embarrassée. Notre pauvre Francis a été tué par un rôdeur.

— La notoriété du club, continua l'ex-inspecteur-chef, a gêné en partie mes investigations. Elle était pourtant la base de toute déduction... Mais sous un certain angle. Rappelons que la soirée du crime s'annonçait comme tout à fait exceptionnelle. C'est bien exact, Christopher ?

— Oui, inspecteur, répondit le secrétaire particulier. Une fois par siècle, des femmes peuvent être admises au club par le président en raison d'une circonstance particulière.

— « Circonstance particulière », cita Higgins. Laquelle ? Qui répondra à cette question ?

Scott Marlow était persuadé que l'un des témoins se manifesterait.

Mais seul le silence répondit à l'ex-inspecteur-chef.

— Donc, conclut ce dernier, aucun d'entre vous n'a la moindre idée sur ce sujet...

Ernie Jenssens sortit une épingle de la pochette de sa veste et en piqua le velours du canapé à petits coups nerveux.

— Francis n'avait rien laissé deviner de ses intentions, expliqua-t-il. Nous étions intrigués, certes, mais nous n'avons pas eu le temps de savoir... Avec ce qui s'est passé...

— Messieurs Dean, Elope, England et Jenssens sont bien les seuls membres fondateurs du club dans sa formule actuelle ? demanda Higgins à Christopher.

190

— En effet, inspecteur.

— Sir Francis n'avait oublié personne... Il voulait une fête, mais surtout une conférence au sommet.

— Sûrement pas, objecta Jasper Dean. Francis était le patron. Nous l'avions reconnu pour tel. Il prenait seul les décisions et n'avait nullement besoin de nous consulter. S'il nous avait invités avec nos épouses, c'était pour nous offrir une bonne soirée bien arrosée.

— Pourquoi si tard ?

— Pour être débarrassés de tous les vieux casse-pieds qui viennent ici parler finances et politique ! Comme ça, on était entre nous, comme au bon vieux temps. N'allez pas chercher midi à quatorze heures, inspecteur. Francis était un gars tout simple, comme moi.

— C'était aussi un peintre de génie, me semble-t-il, et un homme des plus secrets.

— Pensez-vous ! Il barbouillait pour se délasser et ne se prenait pas au sérieux. Secret... oui, un peu. Taciturne, aussi. Mais toujours prêt à boire un bon coup.

— Nous n'allons quand même pas passer la soirée à égrener des souvenirs ! protesta Sue England. Scotland Yard a sans doute mieux à faire.

— Soyez aimable d'en laisser juge le superinten-dant Marlow et moi-même, rétorqua Higgins, sévère.

Sue England haussa une nouvelle fois les épaules. Scott Marlow, qui la trouvait plutôt séduisante, approuva cependant son collègue d'un regard appuyé.

Eleonora Elope se leva et se dirigea vers Higgins.

— Inspecteur, dit-elle, puis-je vous demander quelque chose ?

— Je vous en prie.

— Freddy et moi... Pourrions-nous fumer ?

— Non, Madame Elope. Cet endroit est une sorte de... sanctuaire.

— Vraiment, pour Freddy... Il est si malheureux quand il ne peut pas fumer...

— J'en suis désolé.

Eleonora Elope retourna s'asseoir à côté de son mari.

Scott Marlow apprécia l'habileté de Higgins. Il soumettait deux suspects à une véritable torture psychologique. En privant deux fumeurs de tabac, il les rendait nerveux. S'ils perdaient le contrôle de leurs nerfs, ils feraient des révélations inattendues. Le superintendant nota un autre aspect intéressant : la passivité des Elope. D'autres auraient allumé une cigarette sans demander l'autorisation ; d'autres encore, même polis, auraient protesté ou refusé d'obéir.

Higgins s'approcha de la harpe dont il taquina les cordes. Il crut distinguer une lueur d'inquiétude dans les yeux d'Eleonora Elope. Son mari demeurait rigoureusement immobile, les mains à plat sur les genoux.

— Nous devons progresser pas à pas afin de comprendre ce qui s'est réellement passé, proposa Higgins.

— Nous avons été drogués ! Voilà ce qui s'est passé ! rappela Ruth Dean, brusquement véhémente.

— Drogués et volés, ajouta Hanna Jenssens. J'ai perdu une bague de famille à laquelle je tenais beaucoup. Quand le Yard me la rendra-t-elle ? Il faudrait que la police fasse son travail de temps à autre !

— Ne désespérez pas, Madame Jenssens. Le Yard fait souvent des miracles. C'est l'un de ses points communs avec le ciel. Superintendant, dans quel état se trouvait cette pièce lorsque vous y êtes entré pour la première fois ?

— Tout était sens dessus dessous.

— N'y avait-il pas des fenêtres ouvertes ?

— En effet. Deux. Et une vitre brisée.

— Premier indice essentiel, jugea Higgins. Premier indice que je ne devais perdre de vue à aucun moment.

Higgins fit résonner l'une des cordes de la harpe. Freddy Elope sursauta. La privation de tabac commençait à agir.

— Et... Qu'en concluez-vous ? demanda Reginald-John England.

— Que l'assassin est venu de l'extérieur.

CHAPITRE XVIII

Scott Marlow était à la fois heureux et triste. Heureux, parce que Higgins en revenait à sa première hypothèse. Triste, parce qu'il fallait repartir de zéro sur la piste du voleur qui s'était introduit dans le club « Tradition ». Demain, mercredi, il devait fournir un coupable aux autorités supérieures de l'Etat... Et il n'avait qu'un courant d'air !

— Tentons d'établir les faits, avança Higgins. Un voleur professionnel a appris qu'une réunion très particulière se tenait au club, jeudi dernier. Une heure très tardive. Pas de domestiques, des gens huppés vêtus avec recherche, donc des femmes portant des bijoux... Bref une situation idéale pour prélever une petite fortune dans un minimum de temps et avec un minimum de risques. Reste un détail à éclaircir : la complicité dont il a forcément bénéficié.

Ernie Jenssens, très digne, se leva.

— Je suis le plus ancien, ici, et j'exige que vous précisiez votre pensée.

— C'est la même que la vôtre, Monsieur Jenssens : le complice du voleur se trouve parmi les personnes présentes.

— Complètement ridicule et tout à fait scandaleux ! protesta Sue England. Aider un voleur à nous dévaliser nous-mêmes ! Qui pourrait accréditer pareille folie... Ça n'a aucun sens, inspecteur !

— Vu sous cet angle, je vous le concède, Madame England. Mais si le but du vol était un document confidentiel détenu par Sir Francis ?

« Et voilà, pensa Scott Marlow. En fin de compte, on en revient toujours au point de départ. La solution la plus simple est la meilleure. »

Higgins contourna le piano et se plaça aux côtés du superintendant face à Christopher.

— Le superintendant et moi-même avons long-temps cru que cette hypothèse était la bonne. C'est vous, Christopher, qui la ruinez. Vous connaissez tout du club. Vous affirmez que Sir Francis ne détenait aucun document compromettant suscepti-ble de déclencher contre lui une haine criminelle.

— Je continue à l'affirmer, inspecteur.

— Les investigations menées par le superinten-dant confirment cette certitude. Pas de document compromettant, plus de mobile pour un crime... Reste un criminel.

Higgins lissa sa moustache poivre et sel. Freddy Elope croisa et décroisa ses jambes. Son épouse tordit entre ses doigts le sac à main qu'elle avait posé sur ses genoux, Hanna Jenssens regardait le plafond. Ernie Jenssens piquait machinalement de son aiguille le canapé. Ruth Dean demeurait figée comme une momie. Son mari, Jasper, absorba furtivement une pilule rose. Sue England titillait ses perles. Reginald-John à l'aide d'un cure-dents, agaça ses canines.

Higgins abandonna Christopher. Il se dirigea vers l'angle du salon de musique vide de tout occupant et se retourna pour contempler l'assemblée.

Tous les regards se fixèrent sur lui.

— Il manque quelqu'un, dit-il. Un fondé de pouvoir nommé Jacob Berner. Il mène des opérations louches sous le nom de Johnson Brandys. L'un d'entre vous le connaît-il ?

Personne ne répondit.

— C'est pourtant bien vous qui m'avez parlé de ce Brandys, Christopher ?

Le secrétaire particulier passa la main droite sur son léger collier de barbe.

— Ah oui, inspecteur... Pardonnez-moi cette inattention. C'est le terme « connaître » qui m'a égaré... J'ai vu ce Monsieur Brandys ou Berner une seule fois.

— Jacob Berner, expliqua Higgins, souhaitait acheter le club « Tradition ».

— Quoi ? s'exclama Jasper Dean. Acheter le club ? Il est fou, ce banquier ! Jamais Francis ne l'aurait vendu à quiconque ! Il aurait préféré y mettre le feu ou le faire exploser !

Higgins hocha la tête, convaincu.

Scott Marlow s'avança de deux pas.

— J'ai fait une vérification qui vous intéressera, Higgins. Aucune des personnes présentes n'a de compte dans la banque qui employait Berner. Aucune ne peut donc être suspectée de complicité directe avec lui.

L'ex-inspecteur-chef apprécia la démarche du superintendant.

— Le Yard a préféré maintenir Jacob Berner en observation, ajouta Higgins car il ne dispose d'aucun alibi pour l'heure du crime.

— Eh bien, déclara Sue England, vous l'avez, votre coupable ! Il a échoué, il s'est vengé ! Pas besoin d'un diplôme de Cambridge pour le comprendre !

— L'affaire est donc close, estima Reginald-John England. Nous pouvons partir.

Hanna Jenssens se leva et se dirigea vers la porte.

Scott Marlow s'interposa.

— Ne soyez pas si pressée, Madame Jenssens. Retournez vous asseoir.

— Pourquoi ? Votre banquier n'est-il pas coupable ? C'est un malhonnête homme, un de plus ! Mettez-le en prison et laissez-nous tranquilles !

— Gardez votre calme ! exigea Marlow, énervé par cette petite femme agressive.

A contrecœur, Hanna Jenssens obéit.

Higgins s'adossa de nouveau au piano.

— Jacob Berner n'a pas beaucoup de caractère, indiqua Higgins. Il est craintif et sans aucune imagination. Il a été incapable de trouver le moindre argument pour se disculper.

— Le meilleur alibi est de ne pas en avoir, ironisa Reginald-John England. Un peu facile... Pourquoi chercher à l'innocenter ? Ce personnage ne serait-il pas un indicateur de police ?

— Et on nous retient pour ça ! s'indigna Ruth Dean. C'est scandaleux !

Tous, à l'exception de Christopher, émirent une série de protestations plus ou moins véhémentes qui fusionnèrent vite en cacophonie. Higgins attendit avec patience que le brouhaha s'éteigne de lui-même.

— En réalité, reprit-il quand le silence fut revenu, Jacob Berner n'a pas menti. Ce n'est pas lui qui a tué Sir Francis Bacon car il n'est pas venu au club le soir du meurtre. Il dispose du meilleur des alibis : un témoin dont il ignore l'existence et qui a su me décrire les personnes qui ont franchi la porte de « Tradition ».

Ernie Jenssens rangea son épingle dans la pochette de sa veste.

— Un témoin ? de qui s'agit-il ?

— D'une personne que ses activités contraignent

198

à observer ce qui se passe dans la rue. Elle avait de l'estime pour Sir Francis.

— Quelle est sa profession? demanda Reginald-John England.

— Musicienne amateur, répondit l'ex-inspecteur-chef. Son témoignage est particulièrement précieux, car elle est réputée pour son sens de l'observation. De la place où elle se trouvait, je l'ai vérifié moi-même, elle ne pouvait manquer l'arrivée d'un visiteur.

— De quelle place s'agit-il? s'enquit Jasper Dean.

— D'un endroit privilégié, indiqua Higgins, consultant son carnet noir. D'après les indications que j'ai recueillies, M. et Mme Elope sont arrivés les premiers, suivis de M. et Mme Dean. Ensuite, M. et Mme England. Madame England a sermonné son chauffeur.

— Exact, reconnut Reginald-John England. Il conduisait trop lentement.

— Enfin, il y eut M. et Mme Jenssens qui semblaient se disputer.

— Pas du tout, intervint Mme Jenssens. Nous étions en retard à cause d'Ernie. Je lui ai fait remarquer qu'il devenait de plus en plus insupportable.

— Etes-vous tous d'accord avec cet ordre d'arrivée? interrogea Higgins.

Nulle protestation ne s'éleva.

— Parfait. Voici donc la première certitude : l'assassin de Sir Francis Bacon se trouve bien parmi les personnes présentes dans cette pièce.

Reginald-John England cessa brusquement de se curer les dents.

— Et les fenêtres ouvertes, qu'en faites-vous?

— Mise en scène, répondit Higgins. L'assassin a voulu nous faire croire que le meurtre avait été commis par quelqu'un venant de l'extérieur. Il y a donc eu préméditation. L'assassinat a été soigneusement programmé et organisé.

L'atmosphère se tendit. Mais personne ne perdit son sang-froid.

— Vous oubliez que nous avons tous été drogués, releva avec dédain Sue England.

— Cela exclut définitivement l'hypothèse du rôdeur, rétorqua Higgins. Le sherry a été analysé. Il contenait bien un somnifère. C'est donc un familier qui a introduit ce dernier dans la bouteille. Quelqu'un qui connaissait les habitudes du club.

— Je peux donc m'en aller et quitter ces lieux maudits, déclara Hanna Jenssens. Je ne fais pas partie des familiers. Jasper ne m'a jamais parlé de cette bouteille.

— Désolé de vous contraindre à rester, Madame Jenssens. On m'a tellement menti, depuis le début de cette enquête, que j'ai encore besoin de votre présence pour démêler le vrai du faux.

La femme du chirurgien, vexée, détourna la tête.

Scott Marlow reprit espoir. Son spleen se dissipait. Si Higgins ne se trompait pas, l'assassin était à portée de la main. Mais combien d'autres pièges avait-il disposés pour égarer l'enquête ? Combien de chemins de traverse faudrait-il éviter pour prendre la voie royale de la vérité ?

— Autre fait bien établi, rappela Higgins : les quatre couples d'invités ont été volés. A leur réveil, ils ont constaté que tous les objets de valeur qu'ils possédaient avaient disparu.

— C'est bien pourquoi nous avons porté plainte, déclara Reginald-John England.

— Vous n'aviez quand même pas tout perdu... Lors de la fouille pratiquée par le superintendant, avant que vous regagniez vos domiciles respectifs, certains objets personnels furent inventoriés.

— Rien d'important, inspecteur ! souligna Sue England. Des babioles. Le voleur ne s'est pas trompé.

L'ex-inspecteur-chef eut un geste étonnant. Il se pinca le nez, profondément dubitatif.

— J'ai une excellente nouvelle à vous annoncer. Je crois avoir retrouvé ce qui vous a été dérobé.

— Magnifique ! s'exclama Hanna Jenssens. Rendez-moi ma bague. Où était-elle ?

— La chance m'a servi, révéla Higgins. C'est en étudiant la posture du corps que j'ai constaté une anomalie. Sir Francis Bacon aurait dû avoir la main droite reposant sur le clavier. L'assassin l'a déplacée. En appuyant sur quelques notes, j'ai produit des sons anormaux. Intrigué, j'ai voulu découvrir la cause de ces dissonances. Aussi ai-je été amené à regarder à l'intérieur de ce piano à queue...

Higgins souleva le couvercle et le cala avec la tige prévue à cet effet.

— Bijoux, montres, portefeuilles, argent liquide sont ici, révéla-t-il.

Hanna Jenssens bondit vers l'instrument.

— Ma bague ! Je veux ma bague !

N'écoutant que son devoir, le superintendant s'interposa et empêcha la femme du chirurgien de plonger la main à l'intérieur du piano.

— Ne touchez à rien, Madame Jenssens. Pour le moment, ce sont des pièces à conviction. Elles seront restituées à leurs propriétaires quand l'enquête sera close.

— C'est une honte ! Cette bague m'appartient !

— Nul n'en doute, remarqua Higgins, mais le superintendant a raison.

Ruth Dean et Eleonora Elope s'étaient levées pour s'approcher du piano.

— Reprenez place, mesdames, et n'ayez aucune

inquiétude. Vos bijoux vous reviendront au moment voulu.

— Je l'espère, inspecteur, protesta Ruth Dean. Il y a tellement d'exemples où la police oublie ses devoirs les plus élémentaires.

— Une telle critique ne saurait concerner la police de Sa Majesté, s'insurgea Scott Marlow. Si vous cherchez une plainte pour diffamation...

Ruth Dean recouvra sa dignité distante.

— Je ne m'abaisserai pas à discuter avec un personnage aussi agressif, lança-t-elle.

— Oublions ces discordes inutiles, recommanda Higgins et posons plutôt une question importante : pourquoi l'assassin a-t-il caché ces objets dans le piano ?

— Si vos déductions sont exactes, proposa Reginald-John England, ça n'a aucun sens... En revanche, si l'on revient à l'hypothèse du rôdeur, tout s'explique. Obligé de tuer Sir Francis qui l'a surpris, il s'est débarrassé au plus vite de son butin qu'il comptait récupérer par la suite.

— Beaucoup de points rendent votre raisonnement erroné, Monsieur England. Il en est sur lequel je suis pourtant d'accord avec vous : l'assassin souhaitait récupérer ces objets, en effet. Il a commis une erreur en oubliant que le Yard interdirait l'accès du salon de musique. Erreur légère, je le reconnais... Si je n'avais pas eu le bonheur de jouer du piano et si l'enquête n'avait pas abouti, ou si le Yard s'était trompé, l'assassin serait tranquillement revenu chercher ce qu'il avait caché. Le temps a joué contre lui.

L'ex-inspecteur-chef dévisagea tour à tour chacun des suspects.

— Je vous accorde une dernière chance... Ce crime est abominable. Mieux vaudraient des aveux plutôt qu'une reconstitution qui m'obligera à dévoiler des secrets qui mériteraient de demeurer enfouis dans les ténèbres. Je vous écoute.

Higgins n'attendait aucun résultat de cette démarche mais il avait le devoir de l'entreprendre.

— Qu'à Dieu ne plaise, s'il existe encore... Madame Jenssens, que pensez-vous exactement de l'assassinat de Sir Francis ?

CHAPITRE XIX

La petite femme vêtue de brun sursauta.

— Moi ? Mais rien... Presque rien...

— Presque ?

Hanna Jenssens évita le regard accusateur de Higgins.

— J'ai dit « presque » comme j'aurais dit autre chose, inspecteur. Un mot sans importance.

L'épouse du chirurgien quêta l'approbation de Ruth Dean. Elle ne rencontra qu'un visage froid et fermé.

— Je ne crois pas, objecta l'ex-inspecteur-chef qui s'approcha du canapé rond en relisant ses notes. Vous êtes une personne plutôt étrange. Certaines parties de votre appartement paraissent bourgeoises, d'autres presque... hantées.

Les yeux de Hanna Jenssens changèrent de couleur. Ils virèrent au gris.

— Je fais de mon appartement ce qui me plaît, inspecteur !

— Pas si vous y avez préparé un meurtre, Madame Jenssens.

La déclaration de l'ex-inspecteur-chef glaça l'assistance.

— Sur quoi vous fondez-vous pour formuler une telle accusation ? demanda Reginald-John, outré.

— Le superintendant Marlow a trouvé sur la chaussure gauche une petite croix de couleur rouge dont la branche inférieure était creusée de multiples petites entailles. Connaissez-vous cet objet, Madame Jenssens ?

Scott Marlow s'approcha.

Il ouvrit sa main gauche, dévoilant une pochette transparente qui contenait la croix décrite par Higgins. Hanna Jenssens la regarda une longue minute, comme hypnotisée. Elle frotta ses index l'un contre l'autre. De la sueur perla à ses tempes.

— Non, dit-elle enfin. Je ne connais pas cet objet. Je ne l'ai jamais vu... Et je ne veux plus le voir !

D'un revers de la main droite, avec une violence et une rapidité qui surprirent Scott Marlow, elle fit tomber la pochette, se leva et tenta de la piétiner en poussant des cris aigus.

Le superintendant éprouva la plus grande peine à maîtriser la petite femme brune. Il l'obligea à se rasseoir et ramassa la croix. Un peu calmée, elle se mordit le pouce droit jusqu'au sang.

— Vous n'avez pas le droit de me brutaliser, geignit-elle. Je n'ai rien fait de mal. C'est le monde qui est mauvais. C'est lui qu'il faut punir.

— Nous y veillerons, assura Higgins. Mais nous avons une affaire plus urgente à traiter, Madame Jenssens. Une affaire à laquelle vous avez été mêlée de très près et sur laquelle vous en savez beaucoup plus que vous ne le dites.

Hanna Jenssens croisa les mains à la hauteur de son nombril, soumise.

— Vous ne vous entendez pas très bien avec votre mari, indiqua Higgins. Plusieurs indices laissent supposer que vous le martyrisiez un peu.

— C'est faux ! C'est une effroyable calomnie !

Ernie est un cavaleur et j'ai le devoir de le ramener sur le chemin du Seigneur. Si je n'agissais pas ainsi, dans quels vices ne tomberait-il pas ?

— Cesse de délirer ! exigea Ernie Jenssens, la prenant brutalement par les épaules.

Elle le repoussa d'un coup de coude. Le chirurgien en eut le souffle coupé.

— N'essaye pas de me donner des ordres, déclara-t-elle très sèche. Je ne le supporterai pas.

— Vous devriez avoir davantage de mesure, recommanda Reginald-John England. Votre attitude vous dessert. La police pourrait croire...

— Ne craignez rien, intervint Higgins. Le Yard ne se prononcera que sur des certitudes. Revenons à votre arrivée ici, le soir du crime, Madame Jenssens. Un témoin certifie que vous vous êtes disputée avec votre mari en sortant du taxi et avant de pénétrer dans le club. Quel était le motif de cette querelle ?

— Ma femme vous l'a dit, ce n'était pas une querelle, protesta Ernie Jenssens. Juste un petit différend entre époux...

— Lorsque je suis venu chez vous dimanche vous avez traité votre mari d'hypocrite, Madame Jenssens, et il vous a qualifié de folle. Ce sont des termes suffisamment forts pour juger grave votre désaccord. J'attends vos explications.

Les époux Jenssens se turent.

— Je peux répondre à votre place, dit Higgins. Je suis certain qu'il s'agissait de la croix que le superintendant vous a montrée.

— Absurde ! estima Ernie Jenssens.

— J'ai d'abord cru à la possibilité d'un crime rituel, expliqua Higgins, puis à une volonté déterminée de me faire penser à ce type de crime. La solution était à la fois plus simple et plus compliquée. Comme votre caractère, Madame Jenssens. Vous n'aimez pas grand-monde, semble-t-il. Aucun

207

de vos amis ne trouve grâce à vos yeux, à l'exception de Mme Dean.

— Même pas, objecta cette dernière. Quand Hanna devient hystérique, à cause de sa jalousie, elle me dévorerait.

— Tu n'as pas le droit de me lâcher, Ruth ! Pas toi ! Nous sommes amies depuis longtemps.

— Amies ? Tu plaisantes ! Nous nous fréquentons parce que nos maris se connaissent. Si tu as commis une faute grave, il te faudra payer. Toi, et toi seule.

— Vipère ! Tu me le payeras, d'une façon ou d'une autre !

Ruth Dean tourna le dos aux Jenssens, indifférente.

— Vous n'aimiez donc personne, reprit Higgins. Même Sir Francis Bacon admiré de tous, vous paraissait animé de mauvaises intentions à votre égard.

Hanna Jenssens croisa les doigts avec une telle force que ses phalanges blanchirent.

— Il était comme les autres... Il n'avait pas compris que ce monde est mauvais et qu'il faut le détruire. Il me parlait de bonté et de noblesse... Incroyable ! De telles niaiseries. Il me détestait et se moquait de moi comme les autres, voilà la vérité.

— Et vous avez voulu vous venger, n'est-ce pas ?

Hanna Jenssens leva les yeux au ciel. Chacun attendait sa réponse. Scott Marlow devenait fébrile.

— Non, inspecteur. Ce n'était pas possible.

Le ton de Higgins devint très doux, presque amical.

— En effet, Madame Jenssens. C'est bien ce que je voulais vous entendre dire. Ce n'était pas possible parce que Sir Francis se trouvait sous l'emprise d'un envoûtement. Avant d'exercer votre haine contre lui, il fallait d'abord le désenvoûter. Vous êtes obsédée par la forme de la croix. Pour vous, elle est sans doute la plus efficace contre le mal.

— N'en doutez pas, inspecteur !

— C'est pourquoi vous l'avez gravée dans les cierges qui illuminent votre demeure et la protègent de tout maléfice. Quand et comment avez-vous acquis cette croix rouge et que signifient exactement les encoches ? Je l'ignore. L'essentiel, comme me l'a confirmé un spécialiste, est que l'objet ait pour fonction de désenvoûter. Vous aviez l'intention de l'utiliser pour libérer Sir Francis des forces hostiles qui l'entouraient afin de le réduire ensuite à votre merci. C'est pourquoi vous vous êtes querellée avec votre mari.

Les époux Jenssens gardèrent à nouveau le silence.

— J'ai toujours pensé que cette malheureuse Hanna était complètement folle, dit Sue England.

— Votre désir de nuire à Sir Francis après l'avoir désenvoûté, poursuivit Higgins, est prouvé par l'épingle dorée retrouvée sur vous lors de la fouille pratiquée par le superintendant Marlow. Avec elle, vous comptiez piquer le maître de « Tradition ».

La petite femme brune, de plus en plus nerveuse, se tortillait.

— C'est bien vous, Madame Jenssens, qui avez déposé cette croix sur le cadavre de Sir Francis. Mais il reste un détail essentiel à élucider : à quel moment êtes-vous entrée dans le salon de musique ?

— Vous voulez dire...

— C'est bien cela, Madame Jenssens : avez-vous tué Sir Francis puis déposé votre croix, ou bien avez-vous découvert un cadavre ?

Hanna Jenssens serra les lèvres, se leva, marcha vers la porte où elle se heurta à Scott Marlow et alla s'accouder au piano.

— Je me suis réveillée la première... Tout tremblait, mais j'avais une vision nette, juste devant moi. Ernie m'avait indiqué l'emplacement du salon de musique. J'avais sur moi la croix et l'épingle.

— N'avez-vous rencontré aucun obstacle ?

— Si... Je me suis cognée plusieurs fois, mais je n'ai pas renoncé.

— Vous êtes très myope, Madame Jenssens et vous refusez de porter des lunettes. Qu'avez-vous vu quand vous êtes entrée ici ?

— Une forme prostrée... Avec quelque chose qui dépassait du dos... Je n'ai pas compris... J'ai pris peur... J'ai jeté la croix et je suis revenue dans la bibliothèque. Là, terrassée par l'émotion, je me suis évanouie.

Ernie Jenssens se tourna vers son épouse, atterré.

— Pourquoi m'avoir caché tout ça, Hanna ?

— Ça ne regarde que moi. Tu es incapable de comprendre.

— N'avez-vous croisé personne pendant votre brève randonnée ? interrogea Higgins.

— Personne.

— N'avez-vous remarqué aucun détail insolite ?

— J'étais trop occupée à regarder mes pieds, pour ne pas tomber. Le monde est mauvais, inspecteur. Je n'ai pas réussi à piquer Sir Francis avec l'épingle et je le regrette.

Scott Marlow, convaincu que Hanna Jenssens n'était pas coupable de meurtre, avait pourtant décidé de ne pas la laisser en liberté. Cette folle était bien capable de commettre un acte vraiment répréhensible. Un internement rapide s'imposait.

Higgins abandonna les Jenssens, passa devant Ruth Dean et recommença à marcher de long en large, comme s'il était seul.

— J'avais d'abord soupçonné Hanna Jenssens d'avoir été assez démente pour aller jusqu'au bout de sa haine et commettre un acte criminel. Les mystères de la croix et de l'épingle élucidés, il me fallait un autre coupable. Quelqu'un sur lequel pèseraient des présomptions suffisamment fortes. Comment ne pas songer à Jasper Dean ?

Le fabricant d'armes se redressa sur son siège.

— Ne pas songer à moi ? Qu'est-ce que ça signifie ?

La voix de Jasper Dean était plus rauque que d'ordinaire. Scott Marlow l'observa. Il avala une nouvelle pilule rose. Son visage avait pris une teinte pâle, presque inquiétante.

— Vous n'êtes pas un homme chanceux, Monsieur Dean, dit Higgins. Beaucoup d'indices semblent composer contre vous un superbe acte d'accusation.

— Je ne vois pas pourquoi...

— Si tel est bien votre sentiment, votre naïveté est coupable, Monsieur Dean. Récapitulons : c'est vous qui réparez l'arme du crime, c'est vous aussi qui la rapportez au club précisément le soir du meurtre, c'est vous encore qui la retirez du cadavre... Voici beaucoup de coïncidences.

— Dieu m'est témoin que tout s'explique aisément, inspecteur. Vous oubliez que c'est Francis lui-même qui m'a confié la mission d'aiguiser la lance.

— Pourquoi l'avoir cachée au superintendant Marlow, en ce cas ?

Jasper Dean bredouilla quelques mots incompréhensibles.

— La vérité est sensiblement différente, affirma Higgins. C'est quelqu'un d'autre qui vous a demandé ce travail. Vous l'avez exécuté parce que vous étiez obligé d'obéir.

— Qu'allez-vous inventer là ? grogna le fabricant d'armes. C'est bien Sir Francis...

— Il y a encore une autre possibilité, indique Higgins. Personne ne vous a donné l'idée de faire de

211

cette lance une arme mortelle, car cette idée, c'est vous et vous seul qui l'avez eue.

Croisant et décroisant les jambes, Jasper Dean regarda de droite et de gauche.

— Il délire, cet inspecteur... Mais dites-lui donc, vous autres ! Qu'on l'arrête !

— Avouez, Monsieur Dean que les événements s'enchaîneraient de manière impeccable. Vous avez décidé de tuer Sir Francis Bacon. Vous fabriquez vous-même l'arme du crime que vous avez l'astuce d'emprunter au club. Pour vous innocenter, vous la rapportez vous-même le soir du meurtre et vous la montrez aux autres invités. Qui imaginerait qu'un assassin agisse de la sorte ? Vous avez remis la lance dans la main de la statue comme si de rien n'était. Vous vous êtes réveillé le premier... parce que vous n'aviez pas bu le Sherry. Sans doute avez-vous versé le contenu de votre verre dans le feu. Vous êtes sorti de la bibliothèque, avez pris la lance d'Athéna, êtes monté jusqu'au salon de musique et avez frappé dans le dos Sir Francis.

Jasper Dean se leva et porta la main à la gorge.

— J'étouffe... à l'aide !

Ruth Dean passa devant les Jenssens et vint soutenir son mari. Elle l'obligea à avaler deux pilules roses et à se rasseoir.

— Ça va aller, lui dit-elle. Rassure-toi. Scotland Yard n'a aucune preuve. Cet inspecteur a tout inventé pour t'effrayer.

— Certes pas, corrigea Higgins. Monsieur Dean ne nie pas avoir mis au point l'arme du crime. Et je ne cherche pas à l'effrayer mais à préciser l'étendue de sa culpabilité.

— Je ne suis pas coupable, articula avec peine Jasper Dean. Mon témoignage a pu paraître confus... Mais personne n'a le droit de me jeter la pierre. Si j'ai péché, je me repens. Je vous répète que les tranquillisants me détraquent la tête. Je ne sais pas pourquoi je suis monté jusqu'ici... Mais je sais que Francis était bien mort et que je ne l'ai pas tué !

— Le jureriez-vous sur la Sainte-Bible ? demanda Higgins en sortant de la poche de son blazer un exemplaire miniature du livre saint.

Le regard du fabricant d'armes devint fixe.

Il tendit la main droite sur le volume de la Loi.

— Je jure que j'ai dit la vérité, proclama-t-il d'une voix aussi éraillée que tremblante.

Higgins rempocha sa Bible. Jasper Dean resta figé quelques secondes. Puis son être entier sembla s'affaisser.

— Pourquoi aviez-vous sur vous un plan de Londres, Monsieur Dean ?

— Parce que j'ai du mal à me repérer.

— Vous avez pourtant l'habitude de venir au club ?

— Je connais à peu près le chemin... Mais il y a tout le temps des travaux ou de nouveaux sens interdits ! Ce soir-là, nous avions pris un taxi. J'ai quand même pris mon plan. On ne sait jamais.

— C'est bien ce que je pensais, conclut Higgins. Vous êtes un curieux personnage, Monsieur Dean. Vous fabriquez des armes destinées à donner la mort, mais vous refusez d'y penser. Vous êtes un angoissé, un être qui n'est jamais en paix avec lui-même. Les tranquillisants ne vous soignent pas. Ils vous enferment un peu plus dans votre prison intérieure, au point de perdre peu à peu contact avec la réalité extérieure. Puisque Dieu vous guide et puisque vous reconnaissez être un pécheur, vous avez l'espoir d'être pardonné. Lui seul peut vous accorder son pardon, en effet...

Jasper Dean fut piqué au vif.

— Pourquoi donc ?

— Parce que vous êtes un Ponce Pilate, Monsieur Dean. Vous souvenez-vous du texte de l'Evangile : « Voyant alors qu'il n'aboutissait à rien, mais qu'il s'ensuivait plutôt du tumulte, Pilate prit de l'eau et se lava les mains en présence de la foule, en disant : « Je ne suis pas responsable du sang de ce juste, à vous de voir ! » Ne fut-ce pas exactement votre manière d'agir dans cette affaire ?

— Non... Pas tout à fait...

— Vous menez votre croisade personnelle pour vous dédouaner face à votre dieu, monsieur Dean. Mais vous oubliez qu'un lâche par omission n'est guère plus recommandable qu'un lâche ordinaire.

Le fabricant d'armes se redressa, furieux. Son nez busqué prit une teinte rouge vif, brusquement irrité par un afflux de sang.

— Je ne me laisserai pas insulter !

— Vous n'avez pas menti, Monsieur Dean, mais vous avez péché par omission. Un fait vous innocente : vous ignoriez le nom du futur président du club « Tradition ». Vous croyiez à une direction collégiale dans un premier temps et à une élection d'ensemble dans un second.

— Mais... bien entendu, approuva Jasper Dean, étonné. C'est bien ce qui était prévu.

— Lorsqu'elle outrepasse certaines bornes, estima Higgins, la naïveté devient un vice criminel. Je veux bien admettre que vous soyez inconscient des conséquences de vos actes, Monsieur Dean mais en quoi le fait de vous boucher les yeux et les oreilles vous innocente-t-il ? Sir Francis Bacon est mort.

— Que Dieu soit miséricordieux, implora Jasper Dean. Je ne suis pas responsable.

— Si, Monsieur Dean. J'attends votre confession. Révélez à tous ceux ici présents la manière dont vous avez assassiné Sir Francis Bacon.

Le fabricant d'armes avala difficilement sa salive.

— Je... C'est impossible... Ce n'est pas moi.

— Il me faudra répondre à votre place, Monsieur Dean, et je le regrette. J'avais espéré que vous vous montreriez plus courageux devant l'épreuve. Quelqu'un d'autre sera peut-être plus bavard... Vous, par exemple, Christopher ?

CHAPITRE XX

Higgins, mains croisées derrière le dos, se dirigea lentement vers le secrétaire particulier du défunt lord et s'arrêta devant lui.

Christopher ne manifestait pas la moindre émotion. Toujours vêtu d'une jaquette et d'un pantalon rayé, il paraissait imperméable aux influences du monde extérieur. Le fin collier de barbe conservait à son visage, marqué par des traces de fatigue, une allure aristocratique.

Scott Marlow n'était pas mécontent que son collègue en vînt enfin à examiner le cas de ce curieux personnage. Le superintendant ne parvenait pas à classer Christopher dans une catégorie bien précise. Mentait-il, se contentait-il de travailler avec acharnement, cachait-il des éléments décisifs ? L'homme semblait impossible à prendre en défaut... comme la plupart des grands criminels.

— Je me suis longtemps interrogé sur votre rôle exact, commença Higgins, confirmant les incertitudes du superintendant. Vous semblez être un professionnel de grande qualité.

— J'essaye simplement de me mettre à la hauteur de la tâche que Sir Francis m'avait confiée.

— Et vous y parvenez, d'après la plupart des

217

témoignages. Aucune faute de goût depuis que vous remplissez vos fonctions, une gestion impeccable. Eleonora Elope pense que vous ne sortez presque jamais du club, tant vous travaillez. Est-ce bien exact ?

— Je suis bien ici, répondit Christopher et je ne supporte pas l'amateurisme. Pour bien dormir, il faut que tout soit en ordre, en soi-même comme dans son travail. Et j'aime beaucoup dormir même si mes heures de sommeil sont peu nombreuses.

— Vous savez tout de ce club, indiqua Higgins. Vous en connaissez le moindre recoin, les règles les plus subtiles, les habitudes les plus sacrées... Rien ne vous échappait.

— Tel est bien mon devoir, inspecteur.

— Vous étiez donc le mieux placé pour savoir tout ce qui se passait à l'intérieur du club.

— Certainement.

— C'est ce qui m'a troublé, avoua Higgins. J'ai supposé que cette position privilégiée faisait de vous un parfait criminel apte à tirer les ficelles d'une tragédie dont vous pouviez manipuler les acteurs à votre guise. Les Jenssens ne vous aimaient pas beaucoup. Ernie Jenssens parce qu'il vous croit juif, ambitieux et intriguant, Hanna Jenssens parce que vous n'avez aucune religion.

Christopher sourit.

Ernie Jenssens se leva, furibond.

— Il s'agissait de confidences, inspecteur ! Je ne pensais pas que vous auriez l'impudence de les mentionner en public. Je désapprouve formellement ces méthodes policières et je...

— Les confidences sont parfois criminelles, l'interrompit Higgins. Quelle est au juste votre ambition, Christopher ?

— Continuer à servir les intérêts de ce club, inspecteur.

Higgins, perplexe, consulta son carnet noir.

— Vous qui êtes les yeux et les oreilles de « Tradition », Christopher, n'avez malheureusement rien vu et rien entendu le soir du meurtre. C'est vous qui avez servi un verre de vieux sherry. Vous auriez donc pu le droguer pour vous débarrasser de tous les témoins gênants et aller tuer Sir Francis... Mais pourquoi une telle complication alors que vous pouviez agir à un autre moment et d'une autre manière ? De plus, si vous êtes bien l'assassin, vous avez au moins un complice. Celui qui vous a assommé. Car votre blessure est bien réelle. Si vous n'aviez pas une remarquable résistance et une volonté que l'on peut qualifier de farouche, vous seriez à l'hôpital. On vous a bien agressé... Avec ou sans votre consentement ?

Reginald-John England croisa les bras.

— C'est exactement la question que je me posais, inspecteur. Nous, les fondateurs, ne faisions que passer au club. Christopher y résidait en permanence. Il avait tout loisir d'organiser un piège où serait tombé Sir Francis. Mais quel serait son mobile ?

— Merci de m'aider à y voir plus clair, Monsieur England. Ce mobile, je croyais l'avoir découvert grâce aux résultats de la fouille. Christopher avait sur lui une forte somme en billets de banque. Comment en expliquer la présence ? J'ai songé à la plus sordide des stratégies : le chantage. Christopher connaissait tout du club, mais aussi de Sir Francis. Il avait découvert dans son passé un élément qui remettait en cause sa réputation. Pourquoi ne pas le monnayer ?

Pour la première fois, Scott Marlow observa une profonde transformation dans la physionomie du secrétaire particulier. Ce dernier perdit brusquement assurance et sérénité. Sa pâleur devint extrême.

— Niez-vous avoir eu connaissance du courrier personnel de Sir Francis ?

— Non... Bien sûr que non, répondit Christopher dont la parole vacillait. Je n'aurais jamais imaginé que l'on m'accusât d'une chose pareille...

— Je ne vous en accuse pas, indiqua Higgins. Il ne s'agissait que d'une hypothèse de travail.

— Elle me paraît des plus intéressantes, déclara Reginald-John England. Je crois que vous avez levé le voile, inspecteur. Christopher est tout à fait le genre de type à pratiquer de la sorte. Trop poli pour être honnête.

Higgins hocha la tête.

— J'aurais pu le croire, en effet... Christopher a expliqué la présence de cette somme en la qualifiant de « prime exceptionnelle ». Si elle ne provenait pas d'un chantage, ne s'agissait-il pas d'une prime de licenciement ? Christopher n'aurait-il pas commis une faute professionnelle grave justifiant un congé définitif ?

Il suffisait d'observer le secrétaire particulier pour s'apercevoir qu'il vivait un épouvantable cauchemar. Incapable de protester, il était sur le point de défaillir. Scott Marlow avait la certitude qu'il ne s'agissait pas d'une comédie.

— J'ai finalement écarté l'ensemble de mes soupçons concernant Christopher, dit Higgins. Pas une seule fois, il ne m'a menti. J'ai pu vérifier l'ensemble de ses déclarations. En me révélant la disparition de l'argent liquide utilisé par Sir Francis, il m'a mis sur une piste nouvelle que le coupable aurait pris soin de masquer. Christopher n'est pas un homme d'apparence. Il est, au fond de lui-même, tel qu'il se comporte. Professionnel, rigoureux et foncièrement honnête.

Reginald-John England haussa les épaules.

— Facile à dire... Secrétaire particulier, même d'un lord, c'est un poste de second ordre... Si Christopher est bien ce que vous dites, il n'a pas grand avenir. Enfin, il faut des exécutants pour que le monde tourne.

— Il en existe de meilleurs, ajouta Sue England. J'ai connu des secrétaires plus travailleurs et plus sérieux.

Christopher regarda Higgins.

— Vous m'avez soumis à rude épreuve, inspecteur... Je n'ai jamais traversé une telle tempête.

— L'essentiel est d'en sortir, Christopher. J'étais obligé d'agir ainsi pour dissiper mes derniers doutes. Sous votre self-control, il y a une vive sensibilité qui vous joue des tours. Vos confidences sur Sir Francis m'ont offert une clé majeure pendant cette enquête.

— Inspecteur... Pourrais-je à mon tour vous poser une question ?

— Je vous en prie.

— Qui a tué Sir Francis ? Celui-là, je veux lui casser la tête.

La rage froide du secrétaire particulier fit passer un frisson dans l'assistance. Chacun sentit qu'il était capable de mettre sa menace à exécution.

— Je vous recommande de vous tenir tranquille, intervint Scott Marlow. Le criminel appartient à la justice de Sa Majesté.

— Encore faudrait-il l'identifier, ironisa Reginald-John England. Nous perdons beaucoup de temps à écouter des sornettes. Si le Yard n'a rien d'autre à dire, qu'on nous laisse partir. Nous avons un dîner ce soir.

Higgins, abandonnant Christopher, se dirigea vers la harpe, au pied de laquelle étaient assis les Elope. Les jambes croisées, le regard vague, Freddy

Elope malgré les exhortations de l'inspecteur, alluma une cigarette.

— Est-ce également votre avis, Madame Elope ? demanda l'ex-inspecteur-chef.

— Eh bien... sûrement, je veux dire peut-être... Cela dépend des circonstances.

Higgins commença à tourner très lentement autour des Elope qui n'osèrent pas remuer.

— Vous n'êtes pas une femme méchante, Madame Elope, mais votre générosité naturelle sert parfois de bien mauvaises causes.

— Je... Je ne pense pas, protesta-t-elle faiblement.

— Je ne parle pas de vos bonnes œuvres mais des services que vous rendez à des amis qui n'en sont pas.

— Il y a des gens suffisamment bêtes pour ça, déclara Sue England, hautaine.

— Je voulais parler de vous, précisa Higgins. Dois-je m'étendre davantage ?

L'épouse du transporteur fit jaillir son opulente poitrine. Scott Marlow perdit un peu de son flegme professionnel. Evoquant aussitôt le dernier portrait de la reine Victoria, il revint dans la voie d'une morale que le Yard se devait de ne jamais quitter.

— Vous étendre ? Mais bien entendu ! Je ne supporte pas les allusions. Expliquez-vous.

Eleonora Elope se leva et prit le bras de Higgins.

— Non, inspecteur... Cela n'aidera en rien à identifier le coupable.

— J'exige des explications, insista Sue England ou je porte plainte.

Higgins affronta la femme d'affaires.

— Y tenez-vous vraiment, Madame England ?

— Je ne reviens jamais sur mes décisions, inspecteur. Ce que vous avez à dire, dites-le. Une England n'a rien à redouter de personne.

222

— Crois-tu réellement, ma chérie... suggéra Reginald-John England.

— Tais-toi. Nous ne reculerons jamais, même devant Scotland Yard.

Higgins continua à tourner autour des Elope. Eleonora Elope aspirait des bouffées de plus en plus courtes et profondes.

— Le destin a voulu que vous n'ayez pas d'enfant, Madame Elope. L'amour maternel que vous portiez en vous-même comme une valeur essentielle, vous l'avez offert au petit Andrew. Le fils naturel de Reginald-John England. J'ignore la manière dont la véritable mère a été écartée, mais je suppose qu'une très forte rétribution a éteint toute revendication de sa part. Une enquête financière permettrait peut-être de préciser le montant. Mme England, pour éviter tout scandale, a reconnu l'enfant. En achetant le médecin d'une clinique privée et en simulant une grossesse pendant les derniers mois, il a été facile de légitimer la naissance. Les difficultés de l'entreprise England doivent correspondre à cette période où Mme England, alitée, a été absente de son bureau. Ni Reginald-John England ni son épouse n'éprouvent la moindre affection pour cet enfant. Quand il le bat, elle s'occupe d'autre chose. On fait donc appel à l'ancienne secrétaire... Vous, Madame Elope, qui accourez à la minute.

Eleonora Elope se serra contre son mari.

— Et quand tout cela serait exact ? dit Reginald-John, très sûr de lui. Vous ne pourriez rien prouver. Notre vie privée nous appartient. Que nous aimions ou non cet enfant n'a aucune incidence sur votre enquête. Puisque Eleonora s'occupe d'Andrew, il a son compte d'amour. Ce n'est déjà pas si mal. D'autres en ont beaucoup moins que lui. Ce n'est pas en geignant qu'on bâtit une carrière. La vie, c'est le mouvement. Moi, je me suis battu à la force du poignet. Qu'Andrew fasse comme moi.

— Si ce sont là toutes vos révélations, laissa tomber Sue England, elles n'atteignent même pas le bas de ma jupe. Il y a des histoires d'enfants martyrisés beaucoup plus impressionnantes que celle-là.

Effarée, Eleonora Elope n'osa pas se retourner vers les England pour crier sa révolte.

— Vous êtes très faible, Madame Elope. Si faible que vous auriez pu tuer Sir Francis pour rendre service à quelqu'un...

— Non, inspecteur ! Non, pas ça... C'est vrai, pour Andrew, j'ai tout enduré. Je l'accepte et l'accepterai encore.

— Y compris le mépris de Reginald-John England qui vous considère comme une petite bourgeoise sans envergure ? Y compris celui de son épouse ?

— C'est sans importance, inspecteur. Il y a Andrew.

Scott Marlow éprouvait un réel malaise. Cette femme sans consistance lui parut bien suspecte. Elle était de la race des éternelles soumises qui deviennent un jour des criminelles.

— Vous êtes une victime sans volonté, continua Higgins, mais votre culpabilité est claire dans cette affaire.

Cette fois, Eleonora Elope esquissa un geste de révolte.

Elle écrasa sa cigarette dans un cendrier.

— Je ne suis pas coupable...

— Si, Madame Elope. Vous êtes coupable de cécité. Votre affectivité vous aveugle. Vous ne voyez pas les gens qui vous entourent. Vous ignorez leur véritable nature. C'est pourquoi vous avez laissé un crime se commettre sans intervenir.

Les yeux de la petite femme qui ne savait plus rire s'embrumèrent.

— Je ne comprends pas, inspecteur...

— Je sais, Madame Elope. C'est pourquoi votre témoignage m'a été précieux pour reconstituer les faits tels qu'ils se sont passés après votre réveil. Vos dires corroborent ceux de Jasper Dean et tendent à l'innocenter de toute participation directe au crime. Mais ce ne sont là que détails annexes et chemins sans issue... Il fallait emprunter une route bien différente pour atteindre la vérité, oublier un temps le club « Tradition » et cette horrible soirée... Bref, s'arracher à la magie qu'avait déployée l'assassin pour empêcher quiconque de percer le mystère.

Higgins s'arrêta, en proie à une ultime réflexion.

Scott Marlow adressa une prière muette au dieu des Anglais pour que son collègue ne se trompât point.

L'ex-inspecteur-chef contourna la harpe et revint vers le canapé circulaire. Il bifurqua sur sa gauche.

— Vous avez beaucoup d'explications à me procurer, Madame Dean, dit-il d'une voix douce et ferme.

CHAPITRE XXI

Ruth Dean recula d'un pas, heurtant un lampadaire en bronze à demi caché par une tenture. Elle n'en perdit pas sa contenance pour autant.

— Je n'ai joué aucun rôle dans ce drame, inspecteur, et vous prie de me laisser en paix. Ce n'est pas en importunant d'honnêtes gens que vous identifierez le criminel.

— « D'honnêtes gens », répéta Higgins... Sans doute le croient-ils eux-mêmes. Voilà bien le pire.

Ruth Dean impressionnait de plus en plus Scott Marlow. Comment cette femme, qui devait avoir le sang plus froid qu'un serpent, qui paraissait aussi raide qu'une colonne en marbre, pouvait-elle détenir la clé de l'énigme ? Bien sûr, elle avait la capacité de mettre en forme un raisonnement glacé et de mettre le pire des projets à exécution. Mais pourquoi Higgins la désignait-il comme le pivot de cette affaire ?

— J'ai d'abord cru que vous étiez tout à fait étrangère à ce crime, exposa Higgins. Aucun fil, même ténu, ne vous reliait à la mort de Sir Francis. Affichant votre ennui, sinon votre indifférence, vous n'éprouvez, semble-t-il aucun sentiment à l'égard de quiconque.

Un léger rictus déforma les lèvres sèches de Ruth Dean.

— Pensez de moi ce que vous voudrez... Jasper et moi formons un couple uni qui en remontrerait à beaucoup d'autres.

— Sans doute, Madame Dean... Et cela même m'a permis de comprendre pourquoi Sir Francis avait été assassiné.

Ernie Jenssens se pencha vers l'épouse du fabricant d'armes.

— Ruth... Ce n'est pas possible... Ce n'est pas toi...

— Garde ton calme, Ernie, préconisa-t-elle. L'inspecteur s'amuse.

Higgins relut ses notes.

— Hélas, Madame Dean... C'est une plaisanterie plutôt sinistre que je vais devoir évoquer. Sans doute serait-il préférable que vous décriviez vous-même la manière dont les choses se sont passées.

— Je n'en ai aucune idée, inspecteur.

— Vous ne me laissez donc pas le choix, déplora Higgins.

Scott Marlow ressentit un picotement au creux des mains. Un excellent signe. Son collègue et lui devaient avoir trouvé la bonne piste.

— C'est un simple détail qui m'a mis sur la voie, révéla l'ex-inspecteur-chef. Reginald-John England m'ayant signalé, au détour d'une conversation, que vous suiviez un régime diététique.

— Inexact, protesta Ruth Dean, agressive. Je fais attention à ce que je mange, c'est tout.

— Dans votre sac à main, continua l'ex-inspecteur-chef, il y avait des restes de biscuits à la noix de coco. Une friandise plutôt lourde qui cadre mal avec votre personnalité. Vous faites partie de ces femmes gourmandes qui ont la chance de ne pas grossir. Une gourmandise si constante que vous emportez des gâteaux même dans les soirées où vous êtes assurée de bénéficier d'un excellent repas.

Ruth Dean ne décollait pas du lampadaire.

— Chacun... Chacun ses goûts, inspecteur.

— Ce petit travers m'a laissé supposer que vous ne vous contentiez pas de biscuits à la noix de coco. Vous devriez forcément hanter des lieux où la pâtisserie était élevée au niveau d'un des Beaux-Arts. Je vous ai donc suivie. Le *Ritz* est le sanctuaire où vous consommez quotidiennement votre péché. Votre gourmandise y est bien connue.

Reginald-John England s'approcha de la harpe, pinça l'une de ses cordes et déclencha un son aigu.

— Cessez de torturer cette pauvre Ruth, inspecteur ! réclama-t-il avec véhémence. Etre gourmande n'est pas un crime. Les salons de *Ritz* sont tout à fait bien famés.

— Certes, Monsieur England. On y fait pourtant d'étranges rencontres. Mme Dean a eu la surprise d'y voir Sir Francis Bacon en compagnie d'un homme de loi. D'après un témoignage digne de foi, Mme Dean a tenté de se dissimuler pour n'être pas aperçue. Mais elle a gardé les yeux braqués sur le défunt lord et son interlocuteur.

Ruth Dean avait tourné la tête de côté, comme pour échapper aux paroles prononcées par Higgins.

— Vous avez entendu leur conversation, Madame Dean, n'est-il pas vrai ?

— Je... Je ne m'en souviens pas. De toute façon, j'étais trop loin.

— Non, Madame Dean. Il suffira de procéder à une reconstitution pour prouver le contraire. Parlez, à présent. Sinon, vous serez accusée de complicité de meurtre.

Le superintendant retint son souffle.

Ruth Dean rejeta la tête en arrière et ferma les yeux.

— L'interlocuteur de Sir Francis prenait des notes... Sir Francis lui dictait ses volontés.

— Lesquelles, Madame Dean ?

— Elles concernaient le club et sa succession... Il avait pris certaines décisions.

— Lesquelles ? demanda à nouveau Higgins.

— Il avait décidé de ne pas accorder la présidence du club à l'un des fondateurs... Aucun d'eux ne lui succéderait. Il comptait l'annoncer lors d'une soirée exceptionnelle. Ensuite, il dicterait son testament.

Higgins s'adressa à Christopher.

— Sir Francis avait-il le droit de prendre de semblables dispositions ?

— Tout à fait, répondit le secrétaire particulier.

— A qui Sir Francis avait-il décidé de léguer le club « Tradition », Madame Dean.

— Il... il ne l'a pas dit. Ou bien... Je n'ai pas entendu.

— Vous mentez. C'est à Christopher qu'il donnait « Tradition ». Christopher qu'il considérait comme son fils. Christopher qu'il avait vu travailler sans relâche, le seul de ses proches à qui il accordait son estime.

Ruth Dean baissa la tête. Elle murmura un « oui ».

Reginald-John England fut pris d'un rire nerveux.

— Jamais entendu d'aussi grosses idioties ! N'écoutez pas cette vieille folle, inspecteur... Elle cherche à se faire remarquer.

— Léguer le club à un domestique... Quelle absurdité ! ajouta Sue England. Personne ne peut ajouter foi à de telles inepties !

Higgins s'approcha de Ruth Dean.

— A qui avez-vous rapporté les termes de la conversation entre Sir Francis et le notaire ?

— A... à mon mari, Jasper.

230

— A personne d'autre ?

— Personne d'autre...

Abandonnant Ruth Dean, brisée, Higgins se diri-gea vers le fabricant d'armes, tassé dans son fau-teuil.

— Et vous, Monsieur Dean, à qui avez-vous révélé les intentions de Sir Francis ?

— Cela ne regarde que Dieu et ma conscience, répondit Jasper Dean de sa voix rauque.

— Vous avez tort de vous cantonner dans votre mutisme. Si vous persistez, je serai obligé de vous considérer comme complice d'un assassinat prémé-dité.

— Dieu jugera. Moi, je n'ai plus rien à dire.

— Je me débrouillerai sans vous, Monsieur Dean. Mais sachez que votre responsabilité est pleinement engagée. Le superintendant le démontrera dans son rapport.

Scott Marlow ne proféra aucune objection. Ce Jasper Dean l'exaspérait. A force d'invoquer Dieu, il avait fini par vendre son âme au diable.

Higgins se tourna sur sa gauche, découvrant Ernie Jenssens qui absorbait une pilule pour le cœur.

— Vous avez probablement une idée très précise sur l'identité du meurtrier, Monsieur Jenssens. Votre ami Jasper Dean s'est confié à vous, je n'en doute pas. Comment avez-vous réagi ?

Le chirurgien passa une main nerveuse dans sa chevelure blanche.

— Il ne m'a jamais parlé de tout cela, grommela-t-il. Reginald-John a raison. Ce sont de pures élucu-brations. Notre chère Ruth a dû se tromper... Je connaissais très bien Francis. Jamais il n'aurait spolié les fondateurs du club.

Higgins consulta une nouvelle fois ses notes. De

nombreuses lignes étaient consacrées à Ernie Jenssens. Il les relut sans se hâter.

— Vous avez créé une légende vous concernant, Monsieur Jenssens. Celle de votre grande sensibilité qui ferait de vous un être fragile. Vos collections de sculptures effrayantes et de jeux de fléchettes, prouvent, au contraire, que vous êtes en proie à une énorme agressivité rentrée. A ces indices s'ajoute votre antisémitisme viscéral. Vous aimez piquer, déchirer, mordre... Et vous vous cachez pour mieux exercer votre haine naturelle.

— Comment... Comment osez-vous ? s'indigna Ernie Jenssens dont le visage se teinta de violet.

Quelques veinules avaient éclaté. Son nez gonflait.

— Vous êtes un homme cruel et fourbe, continua Higgins. Vous avez protesté auprès de moi de votre franchise... Une autre qualité que vous vous attribuez et que les faits démentent.

— C'est... c'est scandaleux ! Sur quoi...

— Vous avez tenté de corrompre un commissaire-priseur, révéla Higgins. Pour obtenir ce qui vous est cher, vous semblez prêt à utiliser les pires moyens. Le mensonge est également l'une de vos armes. « Francis ne critiquait personne », avez-vous déclaré. C'est faux et vous le savez. Le défunt lord avait des opinions tranchées, même s'il les exprimait rarement. Vous avez menti par omission en ne me signalant pas l'existence d'une lettre que vous avez écrite à Sir Francis peu de temps avant le crime. Vous protestiez de votre indéfectible amitié à son égard, le suppliant de ne pas vous oublier... Autrement dit, vous preniez soin de vous désolidariser des autres fondateurs en vous rappelant aux bonnes grâces de Sir Francis. Vous pouvez participer au concours universel des hypocrites avec de bonnes chances de succès.

Ernie Jenssens écarta les bras, fit quelques gestes désordonnés comme un oiseau pris au piège.

— M'accuser de tant d'ignominies... Quelle horreur !

Reginald-John England vint réconforter le chirurgien.

— Le Yard ne s'en tirera pas comme ça, mon vieil Ernie... Accuser un chic type comme toi, c'est infâme. Ton pauvre cœur va encore en prendre un coup.

Higgins s'interposa.

— Veuillez regagner votre place, Monsieur England.

Le transporteur faillit réagir brutalement mais il se contrôla et obéit.

— Ernie Jenssens est un hypocrite maladroit, indiqua Higgins. Il a eu le tort de jouer une comédie misérable trahissant sa véritable nature. Il est venu dormir au club pour échapper aux persécutions exercées par sa femme.

— Rien de plus vrai, confirma Reginald-John England. Chacun sait qu'Ernie est un véritable saint.

— Rien de plus faux, rectifia Higgins. Ernie Jenssens connaissait les règles du jeu. S'il rentrait chez lui après l'heure indiquée par sa femme, il savait qu'elle lui interdirait l'accès de l'appartement. C'est volontairement qu'il est parti trop tard de chez les Elope. Sa femme, Hanna, l'a chassé comme prévu. Nanti de cet excellent prétexte, il a cherché refuge à « Tradition ».

— Pour quel motif caché ? interrogea Reginald-John England, acide.

— D'abord pour m'espionner, répondit Higgins. M. Jenssens a fait semblant de passer son temps à dormir. En réalité, il guettait mes allées et venues ; ensuite, pour récupérer les objets dissimulés dans le

233

piano. S'apercevant que le dispositif policier mis en place par le superintendant lui interdisait tout accès du salon de musique, il a eu une autre idée destinée à m'égarer : simuler un attentat sur sa personne. Deux possibilités pour l'expliquer : soit le retour de l'assassin, soit l'identification d'un coupable résidant en permanence sur place, à savoir Christopher, qui aurait voulu supprimer l'un des fondateurs après avoir tué Sir Francis. Malheureusement pour vous, Monsieur Jenssens, votre seule présence au club m'est apparue comme une trop grande anomalie.

— Remarquable roman, estima Sue England. J'en ai lu de meilleurs, pourtant. Connaissez-vous celui où le policier est l'assassin ?

Scott Marlow ne connaissait pas et il en était fier. Qui pouvait écrire des histoires aussi ineptes ?

Higgins sourit.

— Votre intervention, Madame England, me permet de rappeler les liens étroits qui existent entre vous et M. Jenssens, Hanna Jenssens pourra les confirmer. Son mari est l'un de vos admirateurs. Vous le fascinez. Quant à M. England, Ernie Jenssens le voyait en successeur de Sir Francis à la tête de « Tradition ». C'est dire à quel point il vous était inféodé. Tout comme Freddy Elope, d'ailleurs.

Higgins abandonna le chirurgien aux cheveux blancs et se dirigea vers la harpe. Freddy Elope déchirait des cigarettes, enfournant les déchets dans ses poches. Sa femme, inquiète, se serra contre lui.

— Il est inutile que je vous pose des questions, Monsieur Elope, puisque vous avez décidé d'être muet. Excellente tactique pour éviter de commettre des faux pas, mais insuffisante. Le silence est parfois plus révélateur qu'un flot de paroles. Vous êtes un homme triste et renfermé, Monsieur Elope, vous militez pour la paix sur terre et vous formez avec votre femme un couple très uni. Ce détail m'a longtemps gêné. J'ai cru que vous vous entendiez vraiment. En réalité, Eleonora Elope ne sait pas qui vous êtes. Vous êtes muet, elle est aveugle. Elle se tient à vos côtés, vous assiste, vous aide, sans savoir qu'elle sert les intérêts d'un monstre.

Eleonora Elope poussa un cri d'effroi.

— Désolé de vous faire si brutalement prendre conscience de la réalité, continua Higgins. Freddy Elope est un tricheur. Il a déplacé une pièce pour me vaincre aux échecs. Ce seul geste trahit une âme vile. Comme tous les tricheurs, Freddy Elope est un esclave. Celui de Reginald-John England à qui il doit son emploi. Ce dernier le méprise, mais M. Elope le vénère comme un dieu qui lui accorde quelques miettes de sa toute-puissance, notamment des vacances à la montagne. Pour lui, M. England est l'homme qui a réussi et dont les droits sont incontestables. A cela s'ajoutait probablement un chantage. Si Freddy Elope n'obéissait pas au doigt et à l'œil, Reginald-John England aurait cloîtré son fils Andrew, interdisant à Eleonora Elope de le voir. Là encore, Madame Elope, vous avez fermé les yeux.

— Tout cela n'a aucun rapport avec la mort de Francis, bredouilla Ernie Jenssens, agressif.

Le regard glacial de Scott Marlow fit taire le chirurgien.

— Freddy Elope s'est absenté de son travail sous le prétexte de se rendre à un congrès rassemblant des pacifistes. En réalité, il n'a assisté aux séances que pendant le week-end. A partir de lundi, il s'est occupé de tout autre chose : me suivre en voiture en utilisant au mieux les renseignements fournis, de l'intérieur du club, par Ernie Jenssens. C'est Freddy Elope, chimiste qualifié, qui a dû droguer le sherry avec une remarquable précision. Lors de la fouille fut retrouvé un gant en caoutchouc très fin, fort pratique pour ne laisser aucune empreinte... Notamment sur le manche de la lance. Sans doute est-ce M. Elope qui a également tenté de m'assassiner dans les docks. Des témoins le reconnaîtront lors d'une reconstitution détaillée.

— Non, dit Freddy Elope, dont le visage était presque masqué par un nuage de fumée bleue. Ce n'est pas moi. Je n'ai fait qu'obéir...

— Qui a essayé de me supprimer ?

Freddy Elope toussa. Sa femme s'était écartée de lui, le regardant avec des yeux hallucinés.

— Votre silence sera de nouveau inutile, affirma Higgins. Le superintendant Marlow est à présent en possession de la voiture noire. Retrouver son propriétaire sera aisé pour le Yard. Répondre sur-le-champ nous fera simplement gagner du temps.

Scott Marlow jugea l'ex-inspecteur-chef plutôt audacieux. Ses services ne détenaient pas la voiture. Le superintendant désapprouvait ce genre de méthode... Mais c'était Higgins qui les utilisait.

— A qui appartenait ce véhicule ? demanda Higgins, presque paternel.

Freddy Elope leva vers lui des yeux vides.

— A Reginald-John England.

CHAPITRE XXII

Les England ricanèrent ensemble.

— Mon pauvre Freddy, dit Reginald-John, tu seras toujours un minable.

— Avec une femme comme la tienne, ajouta Sue England, c'est obligatoire.

Higgins contourna la harpe et vint s'adosser à l'extrémité du piano, face aux England. Sue demeurait assise, le front haut, le regard fier. Debout, à sa gauche, Reginald-John England semblait tout à fait décontracté.

— C'est donc vous, Monsieur England, qui avez tenté de m'assassiner. Il est vrai que le monde des entrepôts, fussent-ils désaffectés, n'a aucun secret pour vous.

Le transporteur se cura les dents avec un trombone.

— Continuez à délirer, inspecteur... Ça n'amuse que vous.

Higgins, très calme, lissa sa moustache poivre et sel. Il entamait la dernière étape de son parcours.

— Selon vous, Madame England, vous avez été droguée comme les autres. Le criminel ne serait autre qu'un voleur.

— Mais bien entendu! Et je n'ai pas changé d'avis!

Higgins refit quelques pas, évitant de regarder les England.

— Vous êtes fille unique d'un milliardaire, Madame England, et le véritable patron de la société *England and England*. Vous êtes toujours la première, celle qui connaît tout, qui a vu le meilleur et le pire. Vos maladies sont les plus graves, la moindre de vos actions est exceptionnelle, vous êtes la plus grande couturière, la plus grande pâtissière... Bref, la femme la plus stupide et la plus prétentieuse que Sir Francis ait eu l'occasion de rencontrer.

Sue England serra les accoudoirs du fauteuil. Elle grinça des dents.

— Vous éprouvez un profond mépris pour ce qui n'est pas vous-même, continua Higgins et vous n'avez qu'une ambition, comme l'a indiqué Eleonora Elope : rivaliser avec votre mari et le dépasser dans tous les domaines. C'est ce qui a fait de vous une criminelle.

— J'étouffe ici, se plaignit Sue England dont le teint verdissait.

— Vous avez commis une des plus magnifiques bêtises jamais rencontrées au cours d'une enquête criminelle, Madame England. Sir Francis avait raison. C'est votre stupidité qui vous a perdue, vous et vos complices.

Higgins prit les bijoux cachés dans le piano et les fit identifier par leurs propriétaires.

Aucun d'entre eux ne revint à Sue England.

— Voilà votre incroyable erreur, expliqua Higgins. Vous qui aimez être parée de manière sensationnelle, vous ne portiez donc aucun bijou, le soir du crime. Sinon, vous en auriez parlé et les autres l'auraient remarqué. Pourquoi? Parce que vous

vous étiez préparée à commettre un meurtre en simulant un vol. Et vous avez pensé qu'il serait plus prudent de ne pas être volée vous-même !

— Mais si, j'avais un collier, j'avais...

— Non, dit avec gravité Eleonora Elope. Vous ne portiez aucun bijou.

Higgins demeura adossé au piano.

— Vous étiez amoureuse de Sir Francis, reprit-il. Du moins, vous croyez l'être. Mais il n'a pas reconnu vos immenses qualités. D'abord dépitée, vous êtes devenue haineuse. Sir Francis vous faisait de l'ombre, ainsi qu'à votre mari. C'est Hanna Jenssens qui a donné la bonne hypothèse. Vous avez tué pour vous venger.

Sue England jeta un regard affolé à son mari. Higgins contempla ce dernier avec sévérité.

— Dans le domaine de la vanité, vous vous montrez à la hauteur de votre épouse, Monsieur England. Vous n'appréciez que ceux qui sont toujours d'accord avec vous. Bientôt, vous vous prendrez pour Dieu le père... Bien que vous ne soyez qu'un patron d'opérette. Frustré dans votre entreprise, vous jouez enfin le rôle de chef dans votre famille. Mais vous demeurez un parvenu, incapable de diriger seul votre entreprise. Ce qui vous manque le plus, c'est une authentique reconnaissance sociale. Les distinctions honorifiques ne suffisaient pas. Vous êtes nerveux, impulsif, agité par des pulsions mal contenues parce qu'il manque le couronnement de votre édifice : être enfin considéré par l'*establishement* comme un vrai chef.

Reginald-John cessa de se curer les dents. Il était blême et se désintéressait de sa femme qui frottait la rivière de diamants entre ses doigts

— Lors d'un déjeuner, continua Higgins, vous avez maladroitement tenté de faire peser des soupçons sur les femmes participant à la soirée, à l'exception de la vôtre, bien entendu. Mais comment accorder le moindre crédit à un homme qui déteste son propre enfant et pratique le chantage aux sentiments ? Votre vernis mondain est bien peu épais, Monsieur England. Vos attitudes sont aussi fausses que la plupart des œuvres d'art qui décorent votre hôtel particulier.

— Si vous m'accusez de meurtre, dit le transporteur, très sec, donnez des preuves. Sinon, je quitte immédiatement cette pièce avec mon épouse.

Le superintendant était surpris. Reginald-John England, un chef d'entreprise d'apparence si respectable... Mais le devoir lui dictait sa conduite. Scott Marlow se plaça ostensiblement devant la porte du salon de musique.

— Reginald-John England n'aimait pas Sir Francis Bacon, indiqua Higgins. Il le craignait et le jalousait. Et il ne lui pardonnait pas de lui avoir donné une caution bancaire à un moment très difficile de sa carrière. La domination intellectuelle du lord lui pesait. En face de lui, Reginald-John n'était qu'un petit garçon. Une seule solution pour assouvir son ambition : obtenir la présidence du club « Tradition ». Quelle revanche... Devenir le maître du club le plus influent d'Angleterre ! Quand Jasper Dean lui a appris les intentions de Sir Francis, Reginald-John England a pris une décision radicale : l'assassiner. De Jasper Dean, il exigea un silence coupable d'autant plus facile à obtenir qu'il assurait la survie de l'entreprise. Ce dernier l'a expliqué à sa femme Ruth qui a choisi, elle aussi, de se taire. Les juges apprécieront. Reginald-John England avait besoin de complices. Sa femme ne résista pas à l'envie d'acquérir « Tradition » et d'en devenir... présidente. Freddy Elope, qui lui est totalement soumis depuis l'époque où England était son chef scout, n'avait qu'à obéir. Ernie Jenssens, hypocrite et menteur, s'est adjoint au complot par goût de la destruction et par vénération pour England.

— Vous m'amusez, grinça le transporteur. Imaginez ce qui vous plaît.

— Etiez-vous enrhumé le soir du crime ? demanda Higgins.

— Non, je ne crois pas, répondit Reginald-John England, gêné.

— Ce n'est pas l'avis d'Eleonora Elope.

— Ni le mien, surenchérit Sue England. Tu l'étais, mon chéri ! Souviens-toi...

— Ah, tais-toi donc, idiote !

Furieux, le transporteur gifla sa femme. Chacun s'attendait à une violente réaction de la part de Sue England. Mais elle se terra dans son fauteuil, comme une petite fille soumise.

Higgins était hostile à toute violence. En ce cas, pensa-t-il néanmoins, Reginald-John England aurait dû se comporter depuis longtemps avec une fermeté analogue. Cela l'aurait aidé à devenir un homme.

— Vous étiez enrhumé, reprit Higgins. Mais le superintendant Marlow n'a pas trouvé de mouchoir sur vous lors de la fouille. Votre mouchoir, vous l'avez jeté dans le feu.

— Tiens donc... Et pourquoi ?

— Parce que vous l'aviez utilisé pour effacer les traces de sang sur le clavier du piano. Malheureusement pour vous, il restait des taches brunes et un fragment de tissu entre deux touches.

— Vous êtes très perspicace, ironisa Reginald-John England. Je suppose que le laboratoire du Yard est déjà au travail. Des cendres et un minuscule bout de fil... Ça ne suffira pas pour m'inculper. Je vous parie même que vous n'obtiendrez aucun résultat probant.

241

— Dans un rôle de matamore, vous êtes imbattable, admit Higgins. Si vous vous en contentiez, ce serait une moindre nuisance. Hélas, vous êtes devenu un criminel et vous avez entraîné des êtres faibles et veules dans votre sillage. Vous deviez agir vite, avant que Sir Francis ait eu le temps de rédiger ses dernières volontés. Sachant qu'il allait vous les dévoiler, vous avez mis au point un plan que vous estimiez infaillible. Freddy Elope a drogué le sherry. Vous, lui, Mme England et Ernie Jenssens avez fait semblant de boire. Les quatre autres se sont réellement endormis. L'un de vous a assommé Christopher. Puis vous êtes monté jusqu'au salon de musique. Ernie Jenssens tenait la lance. En tant que chirurgien, il savait où frapper, avec force et précision. Il a ôté le gant, vous l'a passé ainsi que l'arme et vous avez frappé le second coup, déchargeant toute votre haine. Sue England puis Freddy Elope ont agi à leur tour, avec moins de puissance. Vous avez caché vos propres bijoux et portefeuilles dans le piano ainsi que ceux que vous aviez dérobés à vos amis, avec l'espoir de venir les rechercher. Freddy Elope a commis l'erreur de conserver le gant sur lui.

— Il m'appartenait, précisa le chimiste... C'était un instrument de travail. Personne n'y trouverait à redire. Moi, je n'ai presque rien fait.

— A cette accumulation d'erreurs, poursuivit Higgins, s'est ajouté l'ultime acte de bravoure de Sir Francis. Il a enfoncé trois touches : ré, fa et fa dièse, afin de transmettre un ultime message. C'est pourquoi Reginald-John England a tenté de l'effacer et a déplacé le bras droit de sa victime.

Higgins était persuadé que le lord avait désigné ainsi son principal assassin, celui qui avait conçu ce meurtre à quatre mains. Mais il ne connaissait pas le code et n'avait pas le document écrit que Sir Francis n'avait pas eu le temps de rédiger.

— Des suppositions, encore des suppositions, railla Reginald-John England. Les autres avoueront ce qu'ils veulent. Moi, je suis innocent.

Un policier vint murmurer quelques mots à l'oreille de Scott Marlow.

— Un témoin demande à être entendu, déclara le superintendant. Il affirme détenir des preuves.

CHAPITRE XXIII

Le colonel Arthur Mac Crombie fit une entrée remarquée. Les plus grands guerriers de l'armée des Indes n'avaient pas une allure plus digne.

— Désolé d'arriver si tard, mon cher Higgins, mais j'avais à résoudre des problèmes essentiels. La chasse ne supporte pas l'imprécision. J'ai ici un document qui devrait t'aider à identifier l'assassin de mon ami Francis.

Higgins avait redouté le pire en voyant apparaître le colonel. A présent, sa curiosité était aiguisée. Mac Crombie lui communiqua l'enveloppe reçue par la poste.

Elle contenait les dernières volontés de Sir Francis Bacon. Il désignait bien Christopher comme son successeur à la tête du club « Tradition » dont il devenait le légitime propriétaire. Ainsi, le lord assassiné avait-il bien remarqué la présence de Ruth Dean au *Ritz*. Comprenant qu'elle l'avait espionné et qu'elle ne garderait pas sa langue, il avait couché ses intentions par écrit et les avait fait parvenir à Mac Crombie. Il mettait ainsi Christopher et le club à l'abri du malheur. Sans doute Sir Francis avait-il même prévu que les fondateurs commettraient quelque agression contre sa personne.

— Quand as-tu reçu ce courrier? demanda Higgins.

— Eh bien, avoua Mac Crombie, embarrassé, je n'en ai pris connaissance que ce soir en rentrant de la chasse... J'ai accouru ici aussitôt. Comme tu m'avais demandé de ne me mêler de l'enquête sous aucun prétexte, je n'ai pas jugé indispensable de rentrer plus tôt à Londres.

Scott Marlow jubilait. Cette fois, l'enquête prenait définitivement bonne tournure. Sue England brisée, Ernie Jenssens et Freddy Elope avouerait sans difficulté leur participation au crime. Seul le chef de la bande des quatre, Reginald-John England, tentait encore de résister.

— Rien ne m'accuse de manière décisive, affirma-t-il, de plus en plus pâle.

Higgins, depuis l'arrivée de son ami Mac Crombie, songeait bien à un détail. Mettant de côté son amour propre, il vérifia sans plus tarder.

— Francis et toi, demanda-t-il au colonel, deviez avoir un code pour correspondre entre vous pendant la guerre. T'en souviens-tu?

— Je pense bien! Il était fondé sur le solfège. Francis adorait la musique classique, moi les chants militaires. A chaque note correspondait une lettre. On s'est envoyé tant de messages musicaux que je me souviens parfaitement des correspondances.

— Comment traduis-tu ré, fa et fa dièse?

— R, J, E, répondit Sir Arthur Mac Crombie sans hésiter.

— Reginald-John England, explicita Higgins. En mourant, Sir Francis a désigné son assassin.

Le superintendant s'approcha du transporteur.

— Veuillez me suivre, monsieur. Mes hommes s'occuperont de vos complices.

Reginald-John England, haineux, s'adressa une dernière fois à Higgins.

— Votre reconstitution était presque parfaite, inspecteur... Vous n'avez commis qu'une seule erreur. Le premier coup, c'est moi qui l'ai porté. Ernie m'avait bien expliqué. Francis s'est retourné et il m'a vu. Enfin, j'étais le maître. J'ai passé le gant à Ernie et il a frappé aussi fort que moi, par précaution. Francis est mort. J'ai quand même gagné.

— Non, Monsieur England. Je comptais sur votre vanité pour me rectifier sur ce point. Vous avez tout perdu. Votre réputation est ruinée à jamais et vous avez entraîné vos complices dans votre déchéance. Un homme est mort, il est vrai, mais son œuvre continue puisqu'il avait désigné son successeur. Vous êtes aussi misérable que méprisable, Monsieur England. Je crains que votre âme ne se dissolve dans les brumes du néant.

Scott Marlow frissonna. Higgins n'avait pas l'habitude de prendre ainsi à parti un criminel.

Dehors, la neige tombait, recouvrant Londres d'un blanc linceul.

Scott Marlow conduisait avec prudence dans les rues glissantes. Sa vieille Bentley toussait de manière inquiétante. Avec l'âge, elle devenait sensible au froid. Le superintendant accompagnait à la gare un Higgins à l'humeur massacrante.

L'ex-inspecteur-chef se reprochait d'avoir écarté de l'enquête son ami Mac Crombie qui détenait les clés de l'énigme et aurait pu lui révéler le nom du coupable avant qu'il ne se livre à un long et périlleux travail. Ce manque de perspicacité avait de quoi le rendre à jamais humble quant à ses capacités intuitives.

— Prenez par là, ordonna-t-il à Scott Marlow, puis à droite, deux fois à gauche et tout droit.

— Mais ce n'est pas le chemin de la gare ...

— Faites ce que je vous dis ou j'y vais à pied.

Encore une lubie. Le superintendant préféra obéir. La Couronne et le Premier Ministre lui avait adressé les plus vives félicitations pour le brio avec lequel l'enquête avait été menée. Une importante promotion était en vue. Higgins, conformément à ses exigences, n'apparaissait pas dans le rapport.

— Higgins, est-ce que vous vous rendez compte...

— Tout droit, vous dis-je. Engagez-vous dans l'impasse.

La neige estompait l'aspect sinistre des docks de Londres. Au fond de l'impasse, une fumée montait d'un brasero devant lequel se réchauffaient des clochards.

Higgins descendit de la Bentley et marcha vers le groupe d'où émergea la vieille qui avait orienté son enquête de manière décisive.

— Tiens, l'inspecteur ! Quel bon vent vous amène ? encore un crime à se mettre sous la dent ?

— Beaucoup mieux, répondit Higgins. J'ai été au contact, ces temps-ci des pires représentants de l'espèce humaine. Avant de quitter Londres, j'aimerais passer quelques bons moments avec une personne de qualité, spécialiste de Jean-Sébastien Bach. Me ferez-vous l'honneur d'accepter mon invitation à déjeuner ? J'ai réservé un salon particulier au *Ritz*. Notre chauffeur nous attend.

Il sembla à Higgins que le rouge du chaudron monta aux joues de son invitée.

CHEZ LE MÊME ÉDITEUR

Littérature policière

SADOUL (J.). *Trois morts au soleil* (Grand Prix de la Littérature Policière 1986).
SADOUL (J.). *Le mort et l'astrologue.*
TESSIER (T.) : *La nuit du sang.*
THOMAS (L. C.). *La complice.*
THOMAS (L. C.). *Pour le meilleur et pour le pire.*
THOMAS (L. C.). *Par cruauté mentale.*
VÉRY (P.). *Les quatre vipères.*
VÉRY (P.). *L'assassin a peur la nuit.*
VÉRY (P.). *Le gentleman des antipodes.*
VÉRY (P.). *Meurtre Quai des Orfèvres.*
VILLIERS (G. de). *La mort aux chats.*
VILLIERS (G. de). *Les soucis de Si-Siou.*

Achevé d'imprimer en avril 1988
sur presses CAMERON
dans les ateliers de la S.E.P.C.
à Saint-Amand-Montrond (Cher)

Le Rocher
28, rue Comte-Félix-Gastaldi
Monaco

Dépôt légal : avril 1988.
N° d'Édition : CNE section commerce et industrie Monaco 19023
N° d'impression : 3928-524.

Imprimé en France